WOODY ALLEN
PURA ANARQUÍA

Traducción de Carlos Milla Soler

MAXI
TUSQUETS
EDITORES

Título original: *Mere Anarchy*

1.ª edición en colección Andanzas: septiembre de 2007
3.ª edición en colección Andanzas: febrero de 2008
1.ª edición en colección Maxi: septiembre de 2008
2.ª edición en colección Maxi: julio de 2011

© 2007 by Woody Allen. Traducción publicada por acuerdo con Random House, un sello de Random House Publishing Group, división de Random House, Inc.

Los siguientes textos de este libro aparecieron en *The New Yorker: Caution, Falling Moguls* («Peligro, caída de magnates»), *The Rejection* («El rechazo»), *Sing, You Sacher Tortes* («Cantad, Sacher Tortes»), *On a Bad Day You Can See Forever* («El sol no sale para todos»), *Attention Geniuses: Cash Only* («Atención, genios: pagos sólo al contado»), *Strung Out* («Tirar demasiado de la cuerda»), *Above the Law, Below the Box Springs* («Por encima de la ley, por debajo del somier»), *Thus Ate Zarathustra* («Así comió Zaratustra»), *Surprise Rocks Disney Trial* («Sorpresa en el juicio de la Disney») y *Pinchuk's Law* («La Ley de Pinchuk»).

Agradecemos a *The New York Times* su permiso para reproducir un fragmento de «India Jolted as One Legend Abducts Another», de Celia W. Dugger *(The New York Times,* 3 de agosto de 2000), copyright: © 2000 by The New York Times Co., y un fragmento de «The Year in Ideas: Enhanced Clothing», de Gina Bellafante *(The New York Times Magazine,* 15 de diciembre de 2002), copyright: © 2002 by Gina Bellafante. All rights reserved. Reproducidos con el permiso de *The New York Times*.

Ilustración de la cubierta: ilustración de Ed Carosia realizada especialmente para este libro por encargo de Tusquets Editores. © Ed Carosia.

© de la traducción: Carlos Milla Soler, 2007

Diseño de la colección: FERRATERCAMPINSMORALES

Reservados todos los derechos de esta edición para
Tusquets Editores, S.A. - Cesare Cantù, 8 - 08023 Barcelona
www.tusquetseditores.com
ISBN: 978-84-8383-525-8
Depósito legal: B. 29.133-2011
Impresión y encuadernación: Liberdúplex, S.L.
Impreso en España

Índice

Errar es humano; flotar, divino 7
Rescate tandoori 19
Sam, le has puesto demasiado aroma
    a ese pantalón 33
Pluma de alquiler 45
Calistenia, urticaria, montaje final 57
Querida niñera 69
Qué paladar tienes, muñeca 79
Gloria aleluya, ¡adjudicada! 89
Peligro, caída de magnates 99
El rechazo 111
Cantad, Sacher Tortes 119
El sol no sale para todos 129
Atención, genios: pagos sólo al contado 141
Tirar demasiado de la cuerda 153
Por encima de la ley, por debajo del somier 159
Así comió Zaratustra 167
Sorpresa en el juicio de la Disney 173
La Ley de Pinchuk 179

Errar es humano; flotar, divino

Al borde de la asfixia, con la vida entera desfilando ante mis ojos en una sucesión de viñetas melancólicas, me encontré hace unos meses bajo el tsunami de correo basura que cada mañana entra a raudales por el buzón de mi puerta después de los arenques del desayuno. Fue Grendel, nuestra wagneriana mujer de la limpieza, quien, al oír un ahogado falseto desde debajo de miles de invitaciones a ferias de arte, cuestaciones y fabulosos premios que me habían tocado, logró sacarme de allí con la ayuda del absorbeinsectos. Mientras archivaba el correo entrante en la trituradora de papel por riguroso orden alfabético, advertí, entre el sinfín de catálogos que anunciaban de todo, desde comederos para pájaros hasta reparto mensual de drupas y hesperidios, una pequeña publicación no solicitada con el título de *Mezcla Mágica*. A todas luces dirigida al mercado New Age, sus artículos cubrían un amplio abanico de temas, desde el poder de los cristales hasta la sanación holística y las vibraciones psíquicas, e incluía consejos prácticos sobre cómo conseguir energía espiritual, sobre cómo vencer el estrés mediante el amor, y sobre exactamente adónde ir y qué formularios rellenar para reencarnarse. Los anuncios, que parecían meticulosamente confeccionados para protegerse de los descontentos de la Brigada contra el Timo, gente poco razonable, ofrecían Ironizadores Terapéuticos, Vórtices Energéticos para el agua del grifo y un producto llamado Grobust Herbal concebido para potenciar, desde el punto de vista volumétrico, los melones de las señoras. Tampoco escaseaba la asesoría psíquica, brindada por especialistas tan variopintos como una «intuitiva y espiritual» mujer que contrastaba sus percepciones con un «consorcio de ángeles llamado Consorcio Siete», o como una tal Saleena –así se la conocía en el entorno estriptisero– que se ofrecía a «equilibrar tu energía, despertar tu ADN y atraer la abundancia». Naturalmente, después de todos estos viajes de estudios al centro del alma, lo propio era solicitar ciertos emolumentos para sellos o cualquier otro gasto en que el gurú pudiese haber incurrido en otra vida. Ahora bien, el personaje más llamativo de todos era sin discusión la «fundadora y guía divina del Movimiento de la Ascensión de Hathor en el Planeta Tierra». Conocida entre sus fieles como Gabrielle Hathor –diosa autoproclamada que, según su redactor publicitario, era «la plenitud de los orígenes encarnada en una forma humana»–, este icono de la Costa Oeste nos aseguraba: «Se está produciendo una aceleración en la respuesta kármica... La Tierra ha entrado en un invierno espiritual que durará 426.000 años terrestres». Consciente de lo crudo que puede ser un largo invierno, la señorita Hathor había impulsado un movimiento para enseñar a los seres a ascender a «dimensiones de más alta frecuencia», dimensiones en las que, en teoría, podían salir más por ahí e incluso jugar un poco al golf.

«Levitación, translocación instantánea, omnisciencia, capacidad de materializarse y desmaterializarse, etcétera, pasan a formar parte con toda normalidad de las aptitudes del individuo», prometía a los incautos el desmesurado palabrerío, declarando que, «desde estas dimensiones de frecuencia superior, el ser ascendido puede percibir las frecuencias inferiores, en tanto que aquellos situados en las frecuencias inferiores no pueden percibir las superiores».

Se añaden unas fervorosas palabras de adhesión de un tal Pléyades MoonStar, nombre que me causaría no poca consternación si me enterase en el último momento de que así se llama el cirujano que va a operarme del cerebro o el piloto del avión al que acabo de subir. Los acólitos de la señorita Hathor debían someterse a «un tratamiento de humillación», parte de un método para disolver el ego y disparar las frecuencias. Los pagos en metálico no estaban bien vistos, pero por un poco de abyecta lealtad y trabajo productivo uno podía conseguir una cama y un plato de judías chinas orgánicas mientras adquiría conocimiento o lo perdía.

Saco todo esto a colación porque casualmente, ese mismo día, al salir de los grandes almacenes Hammacher Schlemmer, desolado por la indecisión obsesiva de si comprar un prensapatos computerizado o la mejor guillotina portátil del mundo, choqué, como el *Titanic*, contra un viejo iceberg al que había conocido en la universidad, Max Endorphine. Orondo en su madurez, con ojos de bacalao y un peluquín ahuecado hasta el punto de crear la ilusión óptica de un peinado a lo Pompadour, me estrechó vigorosamente la mano y arrancó a perorar sobre su reciente golpe de buena suerte.

–¿Qué te voy a contar, chaval? Me ha tocado el gordo. Entré en contacto con mi yo interior espiritual, y a partir de ahí todo fue coser y cantar.

–¿Podrías explicarte? –inquirí, reparando por primera vez en su elegante traje a medida y el anillo en el meñique, del tamaño de un tumor avanzado.

–Supongo que no debería andar de palique con alguien de una frecuencia inferior, pero como lo nuestro viene de lejos...

–¿Frecuencia inferior?

–Hablo de las dimensiones. A los que estamos en las octavas superiores se nos ha enseñado a no malgastar saludables iones con los trogloditas mortales entre los que tú te encuentras, sin ánimo de ofender. Pero, eso sí, estudiamos y sabemos valorar a las formas inferiores, no vayas a creerte..., gracias a los microscopios de Leeuwenhoek, no sé si lo pillas.

De pronto, con el instinto de un halcón ante su presa, Endorphine volvió la cabeza hacia una rubia de piernas largas con microminifalda que se afanaba por encontrar un taxi.

–Fíjate en esa aparición con morritos de alta tecnología –dijo a la vez que ponía las glándulas salivares en tercera.

—A juzgar por la blusa transparente, debe de ser una chica de calendario –gorjeé, sintiendo un repentino golpe de calor.

—Ahora verás –anunció Endorphine, y acto seguido respiró hondo y empezó a elevarse.

Para asombro de Miss Julio y mío, Endorphine levitaba a dos palmos del suelo, allí, en la calle Cincuenta y Siete, frente a Hammacher Schlemmer. Buscando los hilos que sostenían a Endorphine o algún truco por el estilo, la encantadora criatura acercó su palmito.

—Eh, ¿cómo haces eso? –ronroneó.

—Ten. Aquí tienes mi dirección –dijo Endorphine–. Estaré en casa a partir de las ocho. Pásate. Haré que tus pies se levanten del suelo en un abrir y cerrar de ojos.

—Yo llevaré vino, ¿un Petrus te parece bien? –musitó la chica, y tras meterse la logística de la cita en el abismo del escote, se alejó con un contoneo mientras Endorphine descendía a tierra lentamente.

—¿Y eso? –dije–. ¿Eres Houdini o qué?

—En fin –respondió con un suspiro de benevolencia–, puesto que me digno conversar con poco más que un paramecio, bien puedo ponerte al corriente con pelos y señales. Retirémonos a Stage Deli y diezmemos unos caracoles mientras te recibo en audiencia.

A continuación se oyó un ruido como de reventón y Endorphine se esfumó. Yo tomé aire y me llevé la mano a la boca abierta en un gesto digno de Lillian Gish. Segundos después reapareció, arrepentido.

—Perdona. Me olvidaba de que vosotros, los organismos inferiores de la cadena alimentaria, sois incapaces de desmaterializaros y translocaros. Craso error por mi parte. Vayamos a patita.

Yo estaba aún pellizcándome cuando Endorphine inició su relato.

–Bien –dijo–. Retrocedamos seis meses en el tiempo, al momento en que el hijo pequeño de la señora Endorphine, Max, andaba en vaivenes emocionales por una serie de tribulaciones, lo cual, sumado a los problemas con el tupé, colmó la paciencia del santo Job. En primer lugar, cierto yogurcito taiwanés al que yo daba clases de hidráulica anatómica me deja plantado por un aprendiz de pastelero; luego, cuando daba marcha atrás con mi Jaguar, me metí en una sala de lectura de un templo de la Ciencia Cristiana, y van y me demandan, exigiéndome una suma de muchos billetes verdes por daños y perjuicios. Añadamos a eso que mi único hijo, fruto de un antiguo holocausto conyugal, abandona su lucrativo bufete para dedicarse a la ventriloquía. Así que ahí me tienes, depre y mustio, de un lado a otro de la ciudad en busca de una razón de ser, un centro espiritual, por así decirlo, cuando de pronto, como llovido del cielo, me encuentro ese anuncio en el último número de *Vibraciones Ilustradas*. Un sitio, una especie de balneario, donde te liposuccionan el karma malo y te elevan así a una frecuencia superior, en la que por fin, como Fausto, puedes ejercer tu dominio sobre la naturaleza. Por lo general, el sentido común me hace inmune a camelos como ése, pero, tras indagar un poco, descubro que la directora ejecutiva es nada menos que una auténtica diosa con forma humana, y me digo que por probar nada se pierde. Además, no cobran. No aceptan pasta. El sistema se basa en una variante de la esclavitud, pero a cambio obtienes ciertos cristales que te dan poderes y toda la hierba de San Juan que puedas trincarte. Ah, y me olvidaba de un pequeño detalle: esa mujer te humilla. Forma parte de la terapia. Sus subordinados me ensuciaban la cama y me colgaban un rabo de asno detrás del pantalón sin yo saberlo. Por un tiempo fui el hazmerreír de esa gente, lo reconozco, pero te aseguro que eso acabó de machacarme el ego. De repente me di cuenta de que había tenido otras vidas anteriores: primero fui un simple burgomaestre y después Lucas Cranach el Viejo..., o no, quizá fue el Joven..., en fin, ya no me acuerdo. El caso es que un buen día me despierto en mi tosco catre y tengo la frecuencia en la estratosfera. Me ha salido una aureola alrededor del occipucio y soy omnisciente. O sea, que de buenas a primeras saqué una doble en las carreras de Belmont y al cabo de una semana arrastraba a una muchedumbre cada vez que me presentaba en el Bellagio de Las Vegas. Si alguna vez me asaltan las dudas con un caballo, o no sé si pedir o plantarme en el blackjack, sólo tengo que recurrir a cierto consorcio de ángeles; el hecho de que alguien tenga alas y esté hecho de ectoplasma no significa que no pueda decantar la balanza de tu lado. Mira este fajo. –Endorphine sacó del bolsillo varios mazos de billetes de mil dólares tamaño bala de heno–. ¡Uy, perdona! –dijo mientras buscaba a tientas por el suelo unos rubíes que se le habían

13

caído de la chaqueta al sacar la cornucopia de verderones.

–¿Y de verdad no exige remuneración por el servicio? –pregunté mientras mi corazón alzaba el vuelo como un halcón peregrino.

–Bueno, es lo que pasa con los seres sobrenaturales, ya sabes. Son así de espléndidos.

Esa noche, pese a la andanada de imprecaciones de mi media naranja, amén de una rápida llamada suya al bufete de Timos e Hijos para comprobar si nuestro acuerdo prenupcial preveía la súbita aparición de demencia precoz, volé casi sin proponérmelo con rumbo oeste, camino del Centro de la Ascensión Sublime, para conocer a la divinidad visitante de este semestre, Galaxie Insolación, una visión ataviada con lencería de Frederick's of Hollywood. Invitándome a entrar en el santuario que dominaba el recinto, una granja abandonada cuyo aspecto recordaba vagamente al rancho Spahn de la tradición Manson, dejó su lima de uñas y se acomodó en un diván.

–Relájate, déjate ir, encanto –dijo con tono irritado más al estilo de Iris Adrian que de Martha Graham–. Así que quieres entrar en contacto con tu centro espiritual, ¿eh?

–Sí. Me gustaría conseguir un aumento de frecuencia, y ser capaz de levitar, de translocarme y desmaterializarme, y obtener omnisciencia suficiente para adivinar con antelación las cifras que componen el número premiado de la lotería del estado de Nueva York.

14

–¿De qué vives? –preguntó, poco omniscia para un ser de tan cacareada grandeza.

–Soy vigilante nocturno en un museo de cera –contesté–, pero no es un trabajo tan satisfactorio como pudiera parecer.

Volviéndose hacia uno de los nubios que la abanicaban con hojas de palmera, dijo:

–¿Qué opináis, chicos? Quizá sirva como barrendero. O si no, puede ocuparse de la fosa séptica.

–Gracias –respondí a la vez que me postraba y pegaba la cara al suelo en actitud servil.

–Está bien –dijo, y, a una palmada suya, un quinteto de leales ayudantes salió corriendo de detrás de unas cortinas de abalorios–. Dadle un cuenco de arroz y afeitadle la cabeza. Hasta que haya una cama disponible, puede dormir con las gallinas.

–Oigo y obedezco –musité, apartando la vista por miedo a que una mirada directa la distrajese del crucigrama que había empezado. Dicho esto, me marché apresuradamente, un poco inquieto ante la idea de que pudieran marcarme con hierro candente.

Por lo que observé durante los días siguientes, el recinto estaba plagado de perdedores de toda laya: apocados y plastas, actrices que no daban un solo paso sin consultar con los planetas, obesos, un hombre que se había visto envuelto en un escándalo por algo relacionado con la taxidermia, un enano en fase de negación. Todos aspiraban a ascender a un plano superior mientras bregaban día y noche en un estado de lobotomizada sumisión a la diosa suprema, a quien

15

de vez en cuando veían bailar en el jardín como Isadora Duncan o inhalar el humo de una larga pipa y reírse luego como el purasangre *Seabiscuit*. A cambio de unos cuantos sortilegios y pases mágicos del chamán jefe del centro, un ex gorila a quien me pareció reconocer de un documental sobre las nuevas leyes contra la pederastia, se esperaba que los fieles trabajasen entre doce y dieciséis horas diarias recogiendo fruta y hortalizas para consumo del personal o manufacturasen baratijas tales como barajas de naipes con desnudos, dados de gomaespuma para salpicadero o recogemigas para restaurante. Además de mis responsabilidades en el mantenimiento del alcantarillado, en mi función de barrendero debía ensartar y tirar los envoltorios desechados de barritas de cereales y papeles de liar que salpicaban el paisaje. No era fácil acostumbrarse a la comida diaria, que se basaba fundamentalmente en semillas de alfalfa, miso y agua ionizada, pero un billete de diez dólares en manos de uno de los lamas menos comprometidos, cuyo hermano tenía un restaurante cerca de allí, aseguraba intermitentemente un sándwich de atún. Aunque la disciplina no era muy rigurosa y se esperaba que uno actuase de manera responsable, conductas como transgredir las normas dietéticas u holgazanear podían acarrear como castigo unos azotes o ser conectado a un teléfono de campaña. Padecí una humillación tras otra como parte del ritual de depuración del ego, y finalmente, cuando se decretó que debía hacer el amor a una sacerdotisa kármica que era el vivo retrato del periforme Bill Parcells, decidí que aquello se había acabado. Echado boca arriba en el suelo, arrastrándome centímetro a centímetro por debajo de la alambrada de púas, me largué en plena noche y paré el último 747 con destino al Upper West Side.

—¿Y bien? —dijo mi esposa con la indulgencia de quien se dirige a alguien prematuramente senil—. ¿Te has desmaterializado y translocado hasta aquí, o es una servilleta de Continental Airlines eso que te cuelga del cuello?

—No he pasado allí tanto tiempo como para eso —contraataqué, indignado por su sutil afrenta—, pero mis esfuerzos han bastado para permitirme esta pequeña hazaña.

Y dicho esto, levité a quince centímetros del suelo y me quedé suspendido en el aire mientras ella abría la boca como el escualo protagonista de la película *Tiburón*.

—Vosotros, los listillos de frecuencias inferiores, sencillamente no lo entendéis —dije, restregándoselo con un regodeo inmoderado pero indulgente.

La mujer dejó escapar un penetrante alarido de esos que alertan de un bombardeo enemigo y que instó a nuestros hijos a correr y refugiarse de ese vudú aterrador. Fue en ese momento cuando empecé a tomar conciencia de que no podía bajar, y por más que intenté deselevarme, la maniobra me resultó imposible. Se produjo a continuación un caos comparable al de la escena del camarote en *Una noche en la ópera,* con los niños temblando y berreando histéricamente

17

mientras los vecinos venían corriendo a salvarnos de lo que, por el ruido, debía de parecerles un baño de sangre. Entretanto, puse todo mi empeño en descender, contorsionándome y haciendo muecas como un mimo. Finalmente, mi media naranja asumió la responsabilidad de vencer esta desviación de la física convencional y, pasando a la acción, se procuró el esquí de un vecino con el que me dio de lleno en la cabeza y me bajó al suelo en un santiamén.

Por lo último que supe, Max Endorphine se desmaterializó un día y nunca volvió a materializarse. En cuanto a Galaxie Insolación y su Centro de la Ascensión Sublime, corren rumores de que fueron desmantelados por agentes del fisco y ella se reencarnó, ¿o acaso se reencarceló? Por lo que a mí se refiere, nunca fui capaz de volver a ganar altura ni de adivinar el nombre de un solo caballo que quedase por debajo de la sexta posición en las carreras de Aqueduct.

Rescate tandoori

El legendario facineroso Veerappan, un hombre enjuto y de bigote ondulado negro azabache, ha merodeado por las selvas de la India meridional durante toda una generación... Se le atribuyen 141 asesinatos... El domingo llevó a cabo lo que la policía considera su plan más audaz y diabólico... Secuestró a Rajkumar, de 72 años, un venerado actor de cine que ha alcanzado un rango mítico después de dedicar medio siglo a interpretar en la pantalla a dioses hindúes, reyes del pasado y héroes de toda clase.

The New York Times, 3 de agosto de 2000

¡Oh Tespis, mi musa, mi bendición, mi maldición! Como a ti, los dioses me han concedido vigorosas y abundantes dotes para las artes interpretativas. Nacido con un talento natural y atributos heroicos, con el perfil aquilino de un Barrymore y la elasticidad coribántica de un histrión de teatro Kabuki, no me conformé con la pródiga mano de cartas que me dio la providencia, sino que me sumergí a fondo en artes dramáticas como el teatro clásico, la danza y el mimo. Se ha dicho que soy capaz de expresar más con el movimiento de una ceja que la mayoría de los actores con todo su cuerpo. En la escuela de teatro de Neighbor-

19

hood Playhouse se comenta todavía hoy, en voz baja, el nivel de detalle psicológico que infundí en el personaje ibseniano del pastor Manders durante un taller de verano. El inconveniente de una vida histriónica como la mía es que, por debajo de cierta cifra mínima, el número de calorías requerido a diario para retrasar la muerte por inanición me exige servir mesas en Taco-Pus, un palacio del burrito que, como una planta atrapamoscas, languidece en La Cienaga Boulevard a la espera de incautos. Por eso mismo, cuando recibí en mi PhoneMate un mensaje de Pontius Perry, el dinámico agente de Career Busters, el mayor emporio cazatalentos de Hollywood, presentí que quizá por fin había llegado el momento de saborear un poco la otra cara de la moneda. Me reafirmé en esta idea cuando Perry me dijo que, para subir a su despacho, podía utilizar el ascensor privado que se reservaba a los artistas más taquilleros; así no tendría que poner en peligro mis pulmones inhalando el mismo aire que un actor de reparto. Sospeché que el asunto en cuestión podría girar en torno a la adaptación del best-seller *Rema, mutante, rema,* cuyo papel protagonista, el de Josh Airhead, era codiciado por las más grandes estrellas del sindicato de actores. Yo encajaba a la perfección en el rol del intelectual trágico, ya que poseía la combinación exacta de nobleza y sangre fría.

–Creo que tengo algo para ti, muchacho –me dijo Pontius Perry cuando me hallaba ante él en su despacho, decorado por dos nuevos diseñadores *très chic* de Hollywood en una fusión de estilos posmoderno y visigodo.

–Si es por el papel de Josh Airhead, el director debe saber que usaré una prótesis. Me imagino al personaje con una joroba de avaro, amargado tras años de rechazo, y quizás incluso con carúnculas estratificadas.

–Bueno, para el papel de Airhead ya están en conversaciones con Dustin, de hecho. No, se trata de un proyecto muy distinto. Es un *thriller* sobre un borracho que planea robar una roca tipo piedra lunar de entre los ojos de un Buda o algún otro ídolo por el estilo. Sólo le eché una ojeada al guión, pero pillé el intríngulis antes de quedarme frito por obra del misericordioso Morfeo.

–Ya, o sea que hago de mercenario. Un papel que me brinda la oportunidad de aprovechar parte de mi antigua preparación gimnástica. Todas aquellas clases de esgrima teatral están listas para dar fruto.

–Hablemos claro, chaval –dijo Perry, contemplando por la ventana panorámica de dos metros esa bruma de color melaza que los ciudadanos de Los Ángeles prefieren al aire real–. El iluminado de Harvey Afflatus interpreta el papel protagonista.

–Ah, así que me ven en un papel de actor secundario, el mejor amigo del héroe, un confidente leal que impulsa la trama desde dentro...

–Esto..., no exactamente. Verás. Afflatus necesita un doble de iluminación.

–¿Un qué?

–Alguien que se quede quieto en un sitio durante las tediosas horas que el cámara tarda en iluminar la escena. Alguien que tenga un vago parecido con el protagonista para que los focos y las sombras no anden muy desencaminados. Así, en el último momento, cuando están listos para decir acción y rodar, el zombi..., quiero decir, el doble, se larga y aparece el peso pesado para interpretar el papel.

–Pero ¿por qué yo? –pregunté–. ¿De verdad necesitan un actor de talento para eso?

–Porque tienes un vago parecido con Afflatus; bueno, nunca serás tan guapo como él, la verdad, pero la morfología concuerda.

–Tendré que pensármelo –dije–. Me han propuesto para la voz de Vaflia en una versión de *Tío Vania* en guiñol.

–¿Vaflia, ese que no tiene ni una frase...? En fin, piénsalo deprisa –dijo Perry–. El avión sale para Thiruvananthapuram dentro de dos horas. Es mejor que dragar restos de enchilada en los manteles de Taco-Pus. Vete tú a saber: igual hasta te descubren.

Diez horas después, tras un retraso en pista mientras los auxiliares de vuelo ponían patas arriba el avión para recuperar una cobra fugada, me encontré surcando el cielo rumbo a la India. El productor de la película, Hal Roachpaste, me explicó que, como la actriz principal había decidido en el último momento llevarse a su rottweiler, no quedaba sitio para mí en el chárter y, por consiguiente, me habían reservado pasaje como intocable en un vuelo de las líneas aéreas Bandhani, compañía de reconocida insolvencia. Por suerte quedaban plazas libres a bordo de un avión en el que regresaban a su país los asistentes a un congreso de mendigos, y aunque yo era incapaz de hacer el análisis morfológico de una sola palabra de urdu, me quedé fascinado cuando empezaron a comparar desgracias y sus respectivos platillos para las limosnas.

El viaje transcurrió sin percances salvo por alguna «ligera turbulencia» que hizo rebotar a los pasajeros contra las paredes de la cabina como átomos en ebullición. Con las primeras luces del alba, aterrizamos en un aeródromo improvisado en Bhubaneswar. A partir de ahí fue una especie de excursión campestre, primero en un tren con locomotora de vapor hasta Ichalkaranji, después en *tonga* hasta Omkareshwar, y por último en palanquín hasta el lugar del rodaje en Jhalawar. Tras una calurosa bienvenida por parte del equipo, me dijeron que me fuera derecho a mi sitio, sin molestarme en deshacer la maleta, para empezar a preparar la iluminación y cumplir el programa previsto. Como consumado profesional que soy, ocupé mi puesto en una colina bajo el calor del mediodía, presté mi valioso servicio, y no flaqueé hasta la hora del té, cuando me sobrevinieron los primeros síntomas de insolación.

La primera semana de rodaje transcurrió con los previsibles cambios de humor. Al final, el director resultó ser un hombre pusilánime y sumiso que repetía punto por punto todo aquello que decía Afflatus, considerando que cada una de sus palabras merecía incluirse en las obras de Aristóteles. Afflatus, que a mi entender no había captado la esencia del papel protagonista, tenía miedo de granjearse el descontento del público si dotaba al coronel Butterfat «de una dimensión de incertidumbre», y le cambió la profesión: de coronel del ejército pasó a ser Ocioso Caballero de la Orden de los Coroneles Honorarios de Kentucky, criador de purasangres. El modo en que lo hacía vencedor del trofeo Preakness en el valle de Cachemira me desconcertó, y por lo visto también fue causa de gran perplejidad para el guionista, a quien tuvieron que despojar rápidamente del cinturón y la corbata. Puesto que la interpretación depende en un noventa por ciento de la voz, en este punto debo añadir que Afflatus padece un gemido adenoideo que nace en la garganta y reverbera contra el septum nasal como un mirlitón. Durante un descanso intenté hacerle ciertas sugerencias para dar cuerpo a su personaje, pero escucharme le habría exigido una desviación demasiado radical de la atención, que tenía puesta en el libro con el que se había jurado aprenderlo todo sobre los Pitufos antes de acabar el rodaje. Por las noches solía aislarme de los demás, cenando en una cafetería a base de *murg* y *chai*, si bien la tercera semana calculé mal la sinceridad de una de las bonitas lugareñas que atendía al nombre de Shakira y, conforme al más puro estilo indio, me abrazó con dos de sus brazos mientras me registraba el pantalón con los otros cuatro.

Demediado ya el rodaje, se armó la gorda. Habíamos superado ya los intentos de asesinato debidos a los choques de temperamento –como, por ejemplo, cuando el guionista le escondió el anticoagulante a Hal Roachpaste– y el proyecto empezaba a alzar el vuelo. Corrió el rumor de que los fragmentos iban quedando bien, y Babe Roachpaste, la mujer del productor, afirmaba que el metraje que había visto rivalizaba con *Ciudadano Kane*. En un arrebato de euforia maníaca, Afflatus propuso que quizás había llegado el momento de planificar una campaña para el Oscar y se valió de sus influencias para exigir que un encargado de prensa le escribiera el discurso de aceptación.

Recuerdo que yo, como de costumbre, estaba en mi puesto intentando proporcionar al cámara un objetivo que enfocar, con la cara bien alta, el mentón al frente en el mismísimo ángulo que Afflatus, cuando por mi campo visual izquierdo surgió de pronto lo que me pareció una caterva de hombres con turbante que invadieron el plató con un griterío de apaches. Dejaron grogui al director con un cenicero hurtado en el Hilton de Bombay y dispersaron al aterrorizado equipo de rodaje. Sin saber cómo, me vi con una bolsa en la cabeza que, acto seguido, alguien anudó diestramente, y me sacaron de allí cargándome a hombros. Dado que las artes marciales formaban parte de mi bagaje interpretativo, salté al suelo de improviso y me desplegué, lanzando una patada al frente con la fuerza del rayo que, por suerte para mis secuestradores, erró el blanco, y fui a caer directamente en el portaequipajes abierto de la furgoneta Plymouth que allí esperaba, cuya puerta se cerró de inmediato. Por efecto conjunto del sofocante calor indio y el violento golpe en la cabeza contra un colmillo de elefante, sin duda robado, que había en el portaequipajes de la furgoneta, perdí el conocimiento. Lo recobré al cabo de un rato en un vacío negro como boca de lobo mientras el vehículo se sacudía y traqueteaba por el desigual terreno de lo que debía de ser una carretera de montaña. Gracias a los ejercicios respiratorios que había llegado a dominar en mis clases de interpretación, logré conservar la calma durante al menos ocho segundos antes de emitir una sucesión de escalofriantes balidos y, a fuerza de hiperventilar, volver a sumirme en la inconsciencia. Recuerdo vagamente que, ya en lo alto de la montaña, me quitaron la bolsa de la cabeza en la cueva de un jefe de bandidos de mirada enloquecida y bigote ondulado negro azabache, un hombre con la intensidad psicótica de Eduardo Ciannelli en *Gunga Din*. Cimitarra en mano, estaba hecho un basilisco, debido, por lo visto, al chapucero secuestro de su trío de quejumbrosos mirmidones.

–¡Gusanos, alimañas, escarabajos! Os envío a raptar a un astro del cine, ¿y esto es lo que me traéis? –despotricó el director gerente, en pleno colocón de hash, con las aletas de la nariz abiertas como velas hinchadas por el viento.

–Amo, te lo ruego –imploró el *dalit* a quien llamaban Abú.

–Un doble, ni siquiera un figurante: un doble de iluminación –bramó el *gros poisson*.

–Pero, amo, no nos negarás que tiene un aire, ¿no? –dijo con voz lastimera uno de los temblorosos esbirros.

–¡Cangrejo! ¡Lagarto! ¿Me estás diciendo que alguien podría confundir a este saco de despojos con Harvey Afflatus? Es como comparar el oro con el barro.

–Pero, oh exaltado, lo contrataron precisamente porque...

–Silencio, o te cortaré la lengua. Tengo al alcance de la mano cincuenta o cien de los grandes, y me entregáis a este aficionado sin un gramo de talento por el que, como que me llamo Veerappan, no pagarán ni una rupia de plomo.

Así que ése era él, el legendario bandido sobre el que había leído. Quizá fuera un maestro de la crueldad, sí, y siempre presto a la escabechina, pero a todas luces era un bucéfalo a la hora de evaluar el talento.

–Seguro que algo sacaremos por él, mi señor. No podrán continuar el rodaje si amenazamos con desmembrar a uno de los suyos. Todos hemos oído decir que los grandes estudios no devuelven las llamadas, es cierto, pero si enviamos los órganos uno por uno...

–Basta ya, medusa viscosa –repuso con voz sibilante el malvado jefe *dacoit*–. Afflatus está ahora en el candelero. Es el protagonista de dos largometrajes que han hecho una considerable taquilla incluso en los mercados menores. Por el roedor al que le hemos echado el guante, ya podemos darnos con un canto en los dientes si recuperamos una sola habichuela.

–Perdona, oh magnífico –dijo entre sollozos el errado servidor de Veerappan–. Lo que pasa es que, al darle la luz en determinado ángulo, su rostro muestra los contornos básicos del antedicho ídolo del cine.

–¿Es que no ves que le falta carisma? Hay una razón por la que Afflatus bate récords de taquilla en ciudades como Boise y Yuma. A eso se llama ser una estrella. Este fantoche es de esos que trabajan de taxista o teleoperador en espera de la gran oportunidad que nunca llega.

–Eh, un momento –protesté, pese a tener la boca tapada con veinte centímetros de cinta adhesiva negra, pero no había entrado aún en materia cuando, usando una *hukka*, me obligaron a callar de un coscorrón. Me mordí la lengua mientras Veerappan proseguía con su perorata. Los torpes chapuceros serían decapitados, decretó con benevolencia. En cuanto a mí, el tesorero del grupo sugirió reducir las exigencias del rescate, dejar pasar unos días y ver si producción apoquinaba. Si no, el plan era hacerme picadillo. Conociendo como conocía a Hal Roachpaste, yo tenía plena confianza en que la compañía se hubiese puesto ya en contacto con la embajada de Estados Unidos y, lógicamente, accediese a las exigencias más disparatadas del bandido para evitar que maltrataran, por poco que fuese, a un colega. No obstante, transcurridos cinco días sin respuesta, en los que, según informaron los espías de Veerappan, el guionista había modificado convenientemente el texto y el equipo había levantado el campamento para trasladar a Oakland el rodaje de exteriores, empecé a sentir cierta inquietud. Se decía que Roachpaste no había querido importunar al gobierno indio con una queja, pero, mientras se largaba a toda prisa de la ciudad, había jurado que haría cuanto estuviera en sus manos por liberarme salvo pagar un solo céntimo de rescate, lo que, en su opinión, podía sentar un mal precedente. Cuando la noticia de mis penosas circunstancias apareció como nota de relleno en los cotilleos de las últimas páginas de *Backstage,* un grupo de extras políticamente activos, indignados, juraron celebrar una concentración nocturna, pero ni por la fuerza pudieron reunir fondos para comprar las velas.

Así pues, habida cuenta del plazo que dio Veerappan y de su deseo de verme muerto, ¿cómo es que estoy aquí contando esta historia? Pues porque a tres horas del límite fijado y con una habitación llena de fanáticos enardecidos afilando sus crises y diagramando mi cuerpo en papel milimetrado, desperté de pronto ante un par de ojos oscuros que me miraban entre un turbante y una chilaba.

—Deprisa, muchacho, no grites —susurró el intruso con un dejo más propio de Greenpoint, Brooklyn, que de Bhopal.

—¿Quién es? —pregunté, embotado por la exigua dieta a base de *aloo* y *tarka dal.*

—Deprisa, despójate de esos harapos y sígueme. Y mantén la calma: este lugar es un hervidero de escoria humana.

—Coincido plenamente —aullé al reconocer la voz de mi agente, Pontius Perry.

–Abrámonos. Ya tendremos tiempo para charlas mañana en el Nate'n Al's.

Y así, hábilmente guiado por mi agente, escapé de una ineluctable disección a manos de Veerappan, titán de malhechores.

Al día siguiente, en el Nate'n Al's, Perry me contó ante un surtido de carnes en salsa que se había enterado de mis apuros durante la celebración del Seder en el restaurante del señor Chou.

–Todo junto se me antojó intolerable y me acordé entonces de que, cuando era pequeño y me ponía uno de esos bigotes de cartón baratos, los niños de la escuela se reían de mi increíble parecido con Su Exaltada Alteza el nizam de Hyderabad. En cuanto se me encendió esa bombilla, el resto fue pan comido. Es decir, tuve que recurrir a toda mi labia, claro, porque el nizam dejó de existir hace muchos años, pero soy agente y me gano el pan dándole a la lengua.

–Pero ¿por qué has arriesgado la vida por mí? –inquirí, pues en todo ese palabrerío había algo que olía a chamusquina.

–Pues porque en tu ausencia te conseguí el papel protagonista en un largometraje. Cosa fina. Va sobre la guerra de las drogas. Se rodará entero en la selva colombiana. Un anti-Medellín. Supongo que por eso ciertos escuadrones de la muerte han jurado eliminar a unos cuantos miembros del reparto si el equipo de filmación asoma por allí. Pero el director lo considera ruido de sables y le quita hierro. No sabes la de actores que han rechazado el papel, es asombroso. Pero, gracias a eso, te he conseguido más pasta. Eh, ¿adónde vas?

Una vez fuera, en la niebla, adonde me había escabullido como un gato, corrí a comprar un periódico y consultar las ofertas de empleo. Tal vez encontrase un trabajo, quizá de taxista o teleoperador, como había sugerido Veerappan. Claro que el diez por ciento que se llevaría Pontius Perry sería muy inferior, pero al menos se ahorraría el sobresalto de despertar una mañana y encontrar mi oreja en su buzón.

Sam, le has puesto demasiado aroma a ese pantalón

... Una empresa llamada Foster-Miller, por ejemplo, ha diseñado recientemente un tejido con propiedades conductoras: cada hilo puede transmitir corrientes eléctricas... de manera que los norteamericanos algún día... podrán cargar sus móviles con el jersey... Technologically Enabled Clothing... ha desarrollado [un chaleco que oculta]... un «sistema hídrico», un bolsillo trasero para una botella de agua con una pajita que pasa por el cuello del chaleco y llega hasta la boca del usuario.

El año próximo DuPont presentará una tela capaz de aislar temporalmente los olores ofensivos, de modo que, pongamos por caso, una camisa que ha pasado toda la noche en un bar lleno de humo puede llegar a casa a las cinco de la madrugada oliendo como si hubiera estado ese rato en una pradera primaveral. Los científicos de DuPont también han desarrollado un tejido tratado con teflón; los salpicones rebotan sin más.

La compañía surcoreana Kolon, a su vez, ha desarrollado el «traje fragante», tratado con hierbas para aplacar la ansiedad.

The New York Times Magazine, 15 de diciembre de 2002

Hace un tiempo me tropecé con Reg Millipede. Reg es un compañero de timba de mis felices tiempos en la vieja Inglaterra, cuando yo era jefe de la sección de poesía de *Arcadas Secas: un Diario de Opinión*. En honor a la verdad, debo decir que los dos ganábamos tanto como perdíamos jugando al whist y al rummy en el Pair of Shoes o el club de Lord Curzon en la calle que lleva su nombre.

–Vengo a tu ciudad de vez en cuando –admitió Millipede mientras hablábamos en la esquina de Park con la Setenta y Cuatro–. Básicamente por trabajo. Soy vicepresidente a cargo de las relaciones públicas de uno de los mayores osarios de la isla de Wight.

Diría que intercambiamos gratos recuerdos durante casi una hora, y en todo ese rato no pude por menos de advertir que de vez en cuando mi compañero bajaba y ladeaba la cabeza hacia la izquierda, en apariencia para sorber una bebida de lo que semejaba una espita discretamente camuflada bajo la solapa.

–¿Te encuentras bien? –pregunté por fin, medio esperando los detalles de un accidente indescriptible que culminó en una moderna unidad de cuidados intensivos–. ¿Llevas puesto un gota a gota o algo así?

–¿Lo dices por esto? –respondió Millipede, señalándose el bolsillo del pecho–. ¡Ajá! ¡Qué observador eres, pillín! No, esto es sencillamente una obra maestra de la ingeniería guión sastrería. Sin duda te habrás fijado en que, de pronto, toda la profesión médica se ha puesto como loca con eso de que hay que beber mucha agua. Por lo visto, limpia los riñones, junto con incontables ventajas secundarias. Bien, pues este estambre tropical lleva incorporado su propio sistema hídrico. Incluye un depósito de almacenamiento en la pernera izquierda del pantalón y una serie de tubos que pasan por la cintura y ascienden hasta un grifo hábilmente cosido a la hombrera. Tengo un ordenador digital prendido de la entrepierna que me permite activar una bomba, colocada justo detrás de unos pliegues, que impulsa la Evian por esta pajita de fibra óptica. Sin embargo, gracias al ingenioso corte del traje, mantengo un aspecto distinguido. Coincidirás sin duda en que esta prenda denota clase.

Tras examinar el traje de Millipede con una incredulidad que reservo para las visiones de ovnis, tuve que admitir que rayaba en lo milagroso.

–Hay una sastrería maravillosa en Savile Row –explicó, y me plantó la tarjeta en la palma de la mano–. Bandersnatch & Bushelman. Tejidos posmodernos. Te garantizo que querrás renovar todo tu vestuario, lo que no estaría mal a juzgar por ese raído homenaje a Emmett Kelly que luces ahora mismo. No te olvides de decirles que vas de mi parte, y pregunta por Binky Peplum. Se portará bien con tu cartera. Adiós.

Aunque, en consideración a los viejos tiempos, fingí seguirle la corriente en cuanto a la calumniosa alusión a Emmett Kelly, deseé empalarlo en una estaca. La injusta comparación de mi traje con el atuendo del payaso se hundió en mi pecho como una cola de escorpión, y decidí invertir en un traje hecho a medida tan pronto como acumulase puntos suficientes en mi compañía aérea para financiarme un viaje al extranjero. El sueño se hizo realidad al final del verano, cuando, por fin, atravesé el umbral de la alta tecnología de Bandersnatch & Bushelman, en Savile Row, donde el dependiente, o una mantis religiosa enfundada en tela de gabardina, me clavó la mirada como si yo fuese un cultivo en una placa de Petri.

—Ya ha entrado otro de ésos —vociferó en dirección a un colega. Volviéndose hacia mí, dijo con voz de juez—: Si te doy media libra, ¿cómo sé que te la gastarás en un tazón de sopa y no la despilfarrarás en cerveza?

—Soy un cliente —protesté sonrojándome—. He venido desde Estados Unidos para renovar mi vestuario. Soy amigo de Reg Millipede. Me dijo que preguntara por un tal Binky Peplum.

—Ajá —contestó el dependiente, verificando el lugar exacto de mi yugular—. No busque más. Ahora que lo dice, recuerdo que Millipede nos previno sobre la posible visita de alguien de su calaña. Sí, habló de usted: una total falta de estilo..., hijo de un dios menor..., ahora me viene todo a la memoria.

—Desde luego, nunca he pretendido pasar por petimetre —expliqué—. He venido simplemente con la idea de que me tomen las medidas para hacerme una indumentaria sobria.

—¿Le interesa algún aroma en particular? —preguntó Peplum, sacando el bloc de pedidos y guiñando el ojo a un compañero.

—¿Aromas? No, no, sólo un traje de corte conservador, la clásica chaqueta azul con tres botones. Quizás incluso unas cuantas camisas. Había pensado en algodón de Sea Island, si no sale muy caro. Aunque ahora que lo dice, detecto un ligero aroma a incienso y mirra.

–Es mi traje –confesó Peplum–. Nuestra línea ofrece una amplia variedad de olores. Jazmín al anochecer, esencia de rosas, bálsamo de La Meca. Ven aquí, Ramsbottom. –Otro vendedor se acercó en el acto, como si esperase la señal para entrar–. Ramsbottom lleva bollos recién hechos..., es decir, el aroma.

Me incliné para olfatear el delicioso olor a pan recién salido del horno.

–Mmm..., exquisito. Me refiero a que es un mohair precioso –dije.

–Podemos insuflar en sus vestiduras cualquier fragancia, desde pachulí hasta cerdo a la Sichuan.

–Sólo quiero un sencillo traje azul. Aunque también he pensado en la franela gris –comenté con una sonrisa pícara.

–Aquí en Bandersnatch & Bushelman no tocamos los tejidos sencillos –contestó Peplum, inclinándose hacia mí en un gesto de complicidad–. No se quede atrás con los cafres, se lo ruego.

Le quitó a un maniquí una chaqueta mil rayas de mucho postín y me la acercó.

–Mire, intente mancharla –propuso.

–¿Manchar la chaqueta? –pregunté.

–Sí. Pese a lo poco que lo conozco, estoy seguro de que es usted un hombre que deposita gran cantidad de icor en su ropa. Ya sabe, crema de leche, pegamento, mousse de chocolate, vino tinto barato, ketchup. ¿Me equivoco?

–Supongo que tiendo a ensuciar una prenda igual que todo hijo de vecino –balbuceé.

–Eso depende de lo descuidado que sea el hijo del vecino –bromeó Peplum–. Permítame dejarle unas muestras para que las pruebe.

Me entregó una paleta con distintas salsas y ungüentos, cada uno una amenaza de muerte para cualquier tela.

–¿De verdad quiere que lo haga?

–Sí, sí, extienda un poco de mermelada de moras por la chaqueta, o el sirope de chocolate.

Armándome de valor para desafiar años de condicionantes sociales, eché un cucharón de grasa de ejes y descubrí que no se adhería ni dejaba rastro alguno. Lo mismo sucedió con el hollín y el zumo de tomate, el dentífrico y la tinta china.

–Vea la diferencia cuando aplico estas mismas sustancias a su ropa –dijo Peplum, vertiendo una generosa dosis de salsa A.1 en mi pantalón–. Fíjese en la mancha permanente que deja en la tela.

–Sí, ya veo, ya veo, es horrenda –respondí, desolado.

–Una buena elección de palabras –aprobó Peplum, y soltó una carcajada de satisfacción–. Echado a perder para siempre, y en cambio, por unos cientos de libras más, ya nunca tendrá que pensar en baberos ni en tintorerías. O imagine que los pequeñines tocan su americana de vicuña con los dedos manchados de pintura.

–No quiero una americana de vicuña –expliqué–,

y si el precio ha de subir mucho, prefiero arriesgarme con la nafta.

–Por cierto –observó Peplum–, también tenemos una tela que rechaza todo olor. O sea, no sé cómo será su esposa, pero puedo imaginármela.

–Es una mujer muy atractiva –me apresuré a decir.

–Sí, en fin, todo es relativo. Yo podría mirar la misma cara y ver una de esas cosas que están a la venta en las tiendas de cebos vivos.

–Eh, un momento –protesté.

–Sólo teorizaba. Bueno, pongamos que tiene usted una recepcionista con un culito al que no puede quitarle ojo, unas piernas largas y bronceadas, un amplio escote y morritos..., y además siempre anda pasándose la lengua por los labios. ¿Se la imagina, amigo?

–Quizá soy un pelín obtuso –dije con poca convicción.

–¿Un pelín? Permítame presentárselo más gráficamente, casto varón. Pongamos que está usted cepillándose a ese yogurcito por todos los moteles del área triestatal.

–Yo nunca...

–Por favor. Su secreto está a salvo conmigo. Veamos, se presenta usted en casa y su media naranja percibe el más sutil rastro de Quelques Fleurs en su chaleco de tartán. ¿Le llega ya la revelación? En menos que canta un gallo, estará usted pasando las de Caín para escapar del yugo de la pensión alimenticia, o bien su Inmortal Amada se pondrá como un basilisco y acabará usted igual que las víctimas en aquellas viejas fotos de Weegee, con una excavación supurante entre los globos oculares.

–Ése no es mi problema, la verdad –dije–. Sólo quiero algo cómodo pero elegante para ponerme en ocasiones especiales.

–Claro que sí, pero con vistas al futuro. Nosotros no sólo hacemos trajes; vestimos a nuestros clientes en un entorno posmoderno. ¿A qué se dedica, señor...?

–Duckworth, Benno Duckworth. Quizá conozca mi libro sobre el dímetro anapéstico.

–No diré que lo haya leído –admitió Peplum–. Pero tengo la impresión de que es usted un hombre de temperamento volátil. Propenso a los cambios de humor. Incluso bipolar, me atrevería a decir. No se esfuerce en negarlo. Pese al escaso tiempo que hemos pasado juntos, veo que su psique oscila entre la actitud benévola y paternal y el arrebato de ira o, si se pulsan los botones adecuados, el impulso homicida.

–Le aseguro, señor Peplum, que soy una persona estable. Puede que ahora me tiemblen un poco las manos, pero eso se debe a que sólo quiero un traje azul, no un entorno. Algo sencillo pero que ofrezca cierta imagen de logro, nada más.

–Y aquí precisamente tengo la prenda que busca. Una excelente lana escocesa. Pero tejida con nuestro propio cóctel secreto de elevadores del ánimo para proporcionar una continua sensación de bienestar.

–Bienestar inmotivado –repuse con naciente sarcasmo en la voz.

–Bueno, lo motiva el traje. Pongamos que ha perdido usted la cartera con todas las tarjetas de crédito y llega a casa y su media naranjita ha dejado el Lamborghini para el desguace, y para colmo encuentra una nota de rescate que le exige ocho veces el valor de su patrimonio neto si quiere volver a ver a sus hijos. Con esta prenda puesta, no perderá el buen humor o la actitud afable en ningún momento. De hecho, incluso disfrutará usted de su delicada situación.

–¿Y los hijos? –pregunté, horrorizado–. ¿Dónde están? ¿Maniatados y amordazados en algún sótano?

–No será como ahora lo imagina, no mientras se sienta usted acariciado por uno de nuestros tejidos antidepresivos.

–De acuerdo –me defendí–, pero ¿no experimentaré síndrome de abstinencia cuando me quite el traje?

–Esto..., bueno, hay algún mandria que tiende a ser más introvertido en cuanto se quita la chaqueta. ¿Por qué? ¿Contemplaría usted alguna vez la posibilidad de acabar con todo?

–Ya, bueno –dije, retrocediendo hacia la salida de incendios–, hablando de acabar con todo, debo marcharme. Tengo en casa un mapache que ordeñar.

Cuando cerré los dedos en el bolsillo alrededor del espray lacrimógeno por si alguien hacía el menor ademán de obstaculizar mi salida, atrajo mi atención una asombrosa muestra de tela que Peplum no me había enseñado todavía.

–Ah, éste –contestó Peplum cuando le pregunté, y pasó a describirlo–: Los hilos llevan entretejidos miles de cables conductores. La prenda no sólo tiene una hermosa caída, sino que además con ella es posible cargar el teléfono móvil: basta con frotar el aparato en la manga antes de hacer la llamada.

–Eso ya me gusta más –dije, imaginando un producto acabado, elegante y a la vez práctico, y que, por si fuera poco, anunciaría a mis iguales que, en efecto, ya formo parte de la vanguardia.

Peplum, al ver que por fin había dado con el filón, sacó el bloc de pedidos y se acercó a mí para cerrar el trato con la economía letal del mate de Philidor. Cuando saqué el talonario y acepté su Mont Blanc, con el corazón acelerado ante las halagüeñas perspectivas de esta hazaña indumentaria, Ramsbottom, lívido, apareció como una exhalación procedente de una sala contigua.

–Problemas, Binky –susurró.

–Te veo pálido –dijo Peplum.

–Nuestro traje recargador de móvil –gimoteó Ramsbottom–, el que vendimos ayer, ¿te acuerdas? El de cachemira con cables conductores microscópicos. Ya sabes, ese que basta con frotar el móvil en él para que salten chispas.

–Ahora no –dijo Peplum, y carraspeó–. Tengo..., ya sabes –añadió, señalándome con la mirada.

–¿Eh? –murmuró Ramsbottom.

–Ya sabes, los hay que acaban de caer del nido –replicó Peplum.

–Ah, sí, claro –parloteó el nervioso adlátere–. Sólo que el tío que se puso ese traje salió de nuestra tienda, tocó la manilla del coche y salió propulsado hacia el palacio de Buckingham. Está en cuidados intensivos.

–Mmmm –musitó Peplum, calculando de inmediato toda posible responsabilidad civil–. Probablemente no cayó en la cuenta de que tocar metal vestido con esa prenda tiene consecuencias fatídicas. Bueno, en fin, puedes comunicárselo a la familia. Avisaré al departamento jurídico para que estén al tanto. Este mes ya es el cuarto cliente con un traje conductor que acaba con respiración asistida. Bien, ¿por dónde íbamos? Ah, sí, ¿cómo se llamaba? ¿Ducksauce? ¿Duckbill? Pero ¿dónde se ha metido?

Que me busque. El alto voltaje en cualquier prenda es precisamente una de esas cosas que me inducen a salir propulsado hacia Barneys: allí compré un traje con chaqueta de tres botones listo para llevar y rebajado, y no incluye ninguna función posmoderna a menos que se considere como tal atraer la pelusa.

Pluma de alquiler

Se dice que Dostoievski escribía por dinero, para financiar su pasión por las ruletas de San Petersburgo. Faulkner y Fitzgerald también alquilaron su talento a magnates ex harapientos que inundaron el Jardín de Alá de plumíferos traídos al oeste para crear un sueño taquillero tras otro. Apócrifa o no, la tranquilizadora tradición del genio que hipoteca temporalmente su integridad retozó en mi corteza cerebral hace unos meses cuando sonó el teléfono mientras yo andaba perdido por mi apartamento intentando arrancarle a mi musa un tema digno para ese gran libro que algún día debo escribir.

–¿Mealworm? –gruñó al otro lado de la línea una voz procedente de una boca que a todas luces daba vueltas a un cigarro puro.

–Sí, soy Flanders Mealworm. ¿Con quién hablo?

–Con E. Coli Biggs. ¿Te suena de algo el nombre?

–Pues... no sabría decirle, la verdad...

–Da igual. Soy productor cinematográfico, y de los grandes. Por Dios, ¿es que no lees *Variety*? Conseguí el número uno de recaudación en Guinea-Bissau.

–Lo cierto es que estoy más familiarizado con el panorama literario –admití.

–Sí, ya lo sé. He leído *Crónicas de Hockfleisch*. Por eso precisamente quiero que nos sentemos a charlar. Pásate por el hotel Carlyle hoy a las tres y media. Suite Real. Me alojo con el nombre de Ozymandias Hoon para que los aspirantes locales no me inunden de guiones.

–¿De dónde ha sacado mi número de teléfono? –pregunté–. No está en la guía.

–De Internet. Aparece junto con las radiografías de tu colonoscopia. Tú haz acto de presencia, tunante, y pronto los dos estaremos echando billetes a tutiplén en nuestras respectivas marmitas. –Dicho esto, colgó el auricular de golpe a velocidad suficiente para retorcerme la trompa de Eustaquio.

No era inconcebible que el nombre de E. Coli Biggs no me sonara ni remotamente. Como había dejado bien claro, yo no vivía inmerso en el rutilante torbellino de los festivales cinematográficos y las *starlets*, sino conforme al régimen espartano del bardo entregado a su obra. A lo largo de los años había escrito varias novelas inéditas sobre elevados temas filosóficos antes de publicar por primera vez con Baratos House. Mi libro, en el que un hombre viaja en el tiempo y se esconde en la peluca del rey Jorge, acelerando así la promulgación de la Ley del Timbre, obviamente había causado revuelo en el *establishment* por su mordacidad. Aun así, me consideraba un talento emergente e irreductible, y me sentí reacio a acudir servilmente al Carlyle para venderme a un cernícalo descerebrado de Hollywood como Biggs. La idea de que el productor albergase la fantasía de alquilar mi inspiración para escribir un guión me repugnaba y a la vez espoleaba a mi ego. Al fin y al cabo, si los progenitores de *El gran Gatsby* y *El ruido y la furia* pudieron mantener sus estufas encendidas por gentileza de los ejecutivos trajeados de la Costa Oeste sedientos de prestigio, ¿por qué no iban éstos a alimentar el brasero de la señora Mealworm? Tenía la absoluta convicción de que mi natural talento para la ambientación y la caracterización resplandecería al lado de esos trillados bodrios pergeñados por los escritorzuelos de los estudios. Sin duda, la repisa de mi chimenea quedaría mejor engalanada con una estatuilla de oro que con el pájaro de plástico abatiéndose en picado que se mecía allí a perpetuidad. No era descabellado plantearse la idea de hacer un breve paréntesis en mi serio trabajo de escritor para amasar unos ahorrillos con los que financiar mi *Guerra y paz* o mi *Madame Bovary*.

Y así, ataviado con mi americana de escritor, de tweed y con coderas, y la gorra de Connemara, subí a la Suite Real del hotel Carlyle para acudir a la cita con el autoproclamado titán E. Coli Biggs.

Biggs era una especie de pudding tocado con una peluca que únicamente podría encargarse marcando el 1-800-Tupés. El sinfín de tics que animaban su rostro, en una imprevisible sucesión de rayas y puntos, parecía emitir un mensaje en morse. En pijama y con el albornoz del Carlyle, se hallaba acompañado de una rubia de milagrosa factura, pluriempleada como secretaria y masajista, quien por lo visto había perfeccionado una técnica infalible para despejarle la sinusitis crónica.

–Iré al grano, Mealworm –dijo, y señaló con la cabeza en dirección al dormitorio. Su curvilínea protegida se levantó y, contoneándose, se marchó hacia allí, sin detenerse más que un par de minutos para alinear los meridianos de su liguero.

–Lo sé –dije mientras descendía de Venusburgo–. Ha leído mi libro, se ha quedado impresionado con la capacidad de evocación visual de mi prosa y quiere que escriba un guión. Es usted consciente, supongo, de que, aun yendo todo como la seda por lo que se refiere a los números, no me quedará más remedio que insistir en un absoluto control artístico.

–Claro, claro –masculló Biggs, restando importancia a mi ultimátum–. ¿Sabes qué es una novelización? –preguntó, echándose a la boca un antiácido Tums.

–La verdad es que no –contesté.

–Se hace cuando una película da dinero. El productor contrata entonces a un zombi para que saque de ella un libro. Ya sabes, una edición de bolsillo estrictamente comercial, para lectores poco exigentes. Ya habrás visto la morralla que hay en las estanterías de los aeropuertos y las galerías comerciales.

–Ajá –dije, empezando a sentir una tirantez letal que iba agarrotando de manera engañosamente benigna mi región lumbar.

–Pero yo sólo trato con la flor y nata. No quiero saber nada de vulgares artesanos. Me codeo única y exclusivamente con lo auténtico. Por eso quería comentarte que, la semana pasada, tu último libro captó la atención de mis ojos azules en una tienducha de pueblo. Para serte sincero, nunca había visto los saldos de un libro en la sección de leña para la chimenea. No es que lo leyera de cabo a rabo, pero las tres páginas que conseguí tragarme antes de entrar en estado de narcolepsia me indicaron que me encontraba ante uno de los más insignes maestros de la palabra desde Papá Hemingway.

–Si quiere que le diga la verdad –respondí–, es la primera vez que oigo hablar de novelizaciones. Lo mío es la literatura seria. Joyce, Kafka, Proust. En cuanto a mi primer libro, le diré que el director de la sección cultural de *La Revista de los Barberos*...

–Claro, no lo dudo, pero, mientras tanto, todo Shakespeare tiene que comer si no quiere palmarla antes de crear su *opus magna*.

–Ajá –dije–. ¿Le importaría darme un poco de agua? He desarrollado cierta dependencia del Xanax.

–Créeme, chaval –continuó Biggs, levantando la voz y declamando lentamente–. Todos los laureados con el Nobel trabajan para mí. Así es como se ganan las habichuelas.

Entre bastidores, el monumento que Biggs tenía por amanuense asomó la cabeza y trinó:

–Coli, García Márquez al teléfono. Dice que se ha quedado sin provisiones en la despensa. Quiere saber si podrías hacerle llegar más encargos de novelizaciones.

–Nena, dile a Gabo que ya lo llamaré –replicó el productor.

–¿Y qué película quiere que novelice? –pregunté con un hilo de voz, y se me atragantó la palabra–. ¿Hablamos de una historia de amor? ¿De gángsters? ¿O de acción y aventuras? Soy famoso por mi facilidad para la descripción, en particular con el material bucólico a lo Turguéniev.

–¡Qué me vas a contar a mí de los rusos! –aulló Biggs–. ¡Ah, Dostoievski! El año pasado intenté convertir la confesión de Stavrogin en un musical para Broadway, y de pronto todos los patrocinadores pillaron la fiebre porcina. Pero vayamos al caso que nos ocupa, muchacho. Da la casualidad de que tengo los derechos de un clásico del cine protagonizado por los Tres Chiflados. Los gané hace años jugando al tonk con Ray Stark en Cannes. Está concebida para desplegar todo el talento cómico de nuestros tres chalados más irreprimibles. He exprimido todas las proteínas posibles a la cinta: salas de cine, televisión nacional e internacional..., pero sospecho que aún podría sacársele cierto jugo a una novela.

–¿De los Tres Chiflados? –pregunté, incrédulo, mientras mi voz se elevaba directamente hacia una octava de pífano.

–No necesito preguntarte si los adoras. Sencillamente son una institución –atajó Biggs.

–Sí, lo eran cuando yo tenía ocho años... –dije levantándome de la silla y palpándome los bolsillos en busca del Fiorinal que siempre llevo encima para casos de emergencia.

–Un momento, un momento. Aún no has oído

la trama. Va de una noche entera en una casa encantada.

–Sí, sí –dije, deslizándome hacia la puerta–. Se me hace tarde... Unos amigos han organizado una fiestecilla...

–He reservado una sala de proyección para pasártela –dijo Biggs, haciendo caso omiso a mi reticencia, que a esas alturas había adoptado la forma de puro pánico.

–No, gracias. Eh..., he de comprar atún, creo que sólo me queda una lata en la despensa –balbucí cuando el gran hombre me cortó el paso.

–Te lo juro, chaval: si esto es tan lucrativo como me indica mi probóscide, hay pasta gansa por medio. Esos tres gamberretes han dado millones. Basta un e-mail para asegurarnos los derechos de novelización para la filmografía completa. Y tú serías el guionista principal. En seis meses sacarías dinero de sobra para pasar el resto de tus días haciendo arte como salchichas. Sólo tienes que darme unas cuantas páginas de muestra para confirmar mi fe en tu brillantez. ¿Quién sabe? Quizás en tus manos la novelización se convierta por fin en una forma de arte.

Esa noche choqué violentamente con la imagen que tenía de mí mismo y eché mano de las emolientes aguas de la destilería Cutty Sark para frenar una depresión galopante. Aun así, no sería sincero si no admitiese que me tentaba la idea de amontonar suficiente tela para permitirme escribir otra obra maestra sin un principio de desnutrición. Pero no era sólo que el tin-

tineo del vil metal me arrullase la cóclea. También cabía la posibilidad de que la brújula nasal de Briggs señalase realmente al Norte. Acaso yo fuera el Imán Oculto elegido para legitimar, dotándola de profundidad y dignidad, esa insignificante muestra de la basura literaria que es la novelización.

En un acceso de euforia súbita, me abalancé sobre mi ordenador y al amanecer, irrigado por litros de café solo, había casi concluido el desafiante encargo y me moría de impaciencia por enseñarle el resultado a mi nuevo benefactor.

Para mi irritación, el NO MOLESTEN permaneció en la puerta hasta el mediodía, cuando por fin conseguí hablar con él mientras masticaba sus fibras matutinas.

–Ven a las tres –ordenó–. Y pregunta por Murray Zangwill. Se ha filtrado mi antiguo alias y el hotel está a rebosar de chicas de póster desesperadas por una prueba.

Apiadándome de la asendereada existencia del pobre hombre, pasé las horas siguientes puliendo varias frases hasta la máxima perfección y a las tres entré en su chabola de lujo con mi trabajo impreso en elegante papel de vitela.

–Léemelo –exigió, arrancando de un mordisco la punta de un habano de contrabando y escupiéndola en dirección al Utrillo falso.

–¿Que se lo lea? –pregunté, desconcertado ante la perspectiva de presentar oralmente mi texto–. ¿No preferiría leerlo usted mismo? Así, los sutiles ritmos verbales resonarán en el oído de su imaginación.

–No, ni hablar. Lo captaré mejor así. Además, anoche perdí las gafas de leer en el Hooters. Empieza –ordenó Biggs, apoyando los pies en la mesita de centro.

–«Oakvill, Kansas, se encuentra en una zona especialmente desolada de las vastas llanuras centrales» –comencé–. «Lo que queda de un paisaje antaño salpicado de granjas es ahora tierra árida. En su día, el maíz y el trigo proporcionaban un floreciente medio de vida, hasta que los subsidios a la agricultura tuvieron el efecto contrario a la prosperidad.»

Los ojos de Biggs empezaron a vidriarse. La espesa aureola de humo del vil puro envolvía su cabeza.

–«El destartalado Ford se detuvo ante una granja desierta» –proseguí– «y de él salieron tres hombres. Tranquilamente y sin razón aparente, el hombre de pelo oscuro agarró la nariz del hombre calvo con la mano derecha y lentamente se la retorció trazando un amplio círculo en sentido contrario a las agujas del reloj: un horrendo chirrido quebró el silencio de las Grandes Llanuras. "Sufrimos", dijo el hombre de pelo oscuro. "¡Ay, la azarosa violencia de la existencia humana!"

»Entretanto, Larry, el tercer hombre, había entrado en la casa y, no se sabe cómo, había conseguido acabar con la cabeza atrapada en un jarrón de loza. Andaba a tientas por la habitación y para él todo se había vuelto aterrador y negro. Se preguntaba si existía un dios o si la vida tenía sentido o si el universo obedecía a algún plan cuando súbitamente irrumpió el hombre del pelo oscuro y, tras encontrar un gran mazo de polo, empezó a golpear el jarrón para liberar la cabeza de su compañero. Con una rabia acumulada que ocultaba años de angustia por ese absurdo vacío que era el destino del hombre, el tal Moe destrozó la loza. "Al menos tenemos la libertad de elegir", dijo Ricitos, el calvo, entre sollozos. "Estamos condenados a muerte pero poseemos libertad de elección", repuso Moe, y dicho esto le metió los dedos en los ojos. "Ay, ay, ay", gimió Ricitos, "no hay justicia en el cosmos." Cogió un plátano sin pelar y lo hundió entero en la boca de Moe.»

En ese momento Biggs salió de pronto de su estupor.

–Basta, no sigas –dijo, poniéndose en posición de firmes–. Es magnífico, y me quedo corto. Es Johnny Steinbeck. Es Capote. Es Sartre. Huelo el dinero, veo los honores. Es el tipo de producto de calidad al que un servidor debe su reputación. Vete a casa y haz las maletas. Vivirás conmigo en Bel Air hasta que te encontremos un alojamiento más apropiado, no sé, algo con piscina y quizás un campo de golf de tres hoyos. O, si lo prefieres, tal vez Hef pueda acomodarte en mi mansión. Mientras, llamaré a mi abogado y me aseguraré los derechos de la obra completa de los Chiflados. Éste es un día memorable en los anales de Gutenbergsville.

Huelga decir que fue la última vez que vi a E. Coli Biggs, con ese alias o con cualquier otro. Cuando regresé al Carlyle, maleta en mano, había abandonado la ciudad hacía tiempo con rumbo a la Riviera italiana, o al festival de cine de Turkmenistán o posiblemente a Guinea-Bissau para comprobar la recaudación final, el recepcionista no supo decírmelo. El caso es que seguir la pista a un hombre influyente que nunca emplea su verdadero nombre resultó ser una misión demasiado ardua para un pobre desdichado con tinta en los dedos llamado Mealworm, como sin duda también lo habría sido para Faulkner o Fitzgerald.

Calistenia, urticaria, montaje final

Habida cuenta de que, cuando yo era niño, cada verano me anestesiaban y me arrastraban por la fuerza a distintas casas de colonias con nombres indios a orillas de algún lago, donde me esforzaba por aprender a nadar al estilo perro bajo la mirada torva de los capos, también conocidos como monitores, hace poco llamó mi atención un anuncio en las últimas páginas del *New York Times Magazine*. Entre los habituales vertederos donde los padres acomodados pueden aparcar a su llorona progenie para disfrutar así de unos comatosos meses de julio y agosto, se incluyen ahora ofertas de especialidades tan de moda como los campamentos de baloncesto, de magia, de informática, de jazz y –acaso el más deslumbrante de todos– de cine.

Por lo visto, en algún lugar entre los grillos y diversas clases de polen, un adolescente puede dedicar plácidamente sus vacaciones a aprender cosas como la escritura de diálogos merecedores de un Oscar, los ángulos de cámara adecuados, interpretación, montaje, mezcla de sonidos y, por lo que sé, incluso la mejor manera de comprar una casa en Bel Air con aparcacoches y todo. Mientras otros adolescentes menos soñadores buscan puntas de flecha, cierto número de Von

Stroheims en ciernes hacen sus propias películas originales, un proyecto de vacaciones más moderno y con más estilo que, por ejemplo, trenzar un cordón para colgarse la llave del monopatín.

Esta costosa evocación parece muy alejada del Campamento Melanoma, supervisado por Moe y Elsie Varnishke en Loch Sheldrake, donde a los catorce años me aburrí como una ostra jugando a matar con la pelota y contribuyendo a mantener saneada la industria de las lociones de calamina para la urticaria. No era fácil imaginar a una pareja de papás como los Varnishke dirigiendo algo de apariencia tan chic como un campamento de cine, y sólo los efluvios de un pescado ahumado que a la sazón yo deconstruía en el Carnegie Deli indujeron en mí moléculas alucinatorias suficientes para imaginar la siguiente correspondencia.

Querido señor Varnishke:

Con el advenimiento del otoño, que tiñe la vegetación con su sublime paleta de colores óxido y ámbar, debo interrumpir mis quehaceres cotidianos aquí en Wall & William para darle las gracias por proporcionar a mi preciado vástago Algae un verano rico y productivo en su rústico paraíso, tradicional y sin embargo innovador. Sus relatos sobre excursiones a pie y en canoa sorprenden por su parecido con las descripciones que sir Edmund Hillary y Thor Heyerdahl hicieron de sus travesías. Añaden el toquecillo sabroso a esas horas intensas y diligentes que mi hijo pasó con usted aprendiendo las diversas técnicas cinematográficas. El hecho de que la película de Algae, rodada en ocho semanas, sea una obra tan lograda y apasionante que Miramax nos ofrece dieciséis millones de dólares por los derechos nacionales excede lo que cualquier padre podría haber soñado, por más que su madre y yo siempre hayamos sabido que el chico estaba ungido por las musas.

Ahora bien, lo que sí me sorprendió, aunque sólo un nanosegundo, fue la carta en la que insinuaba usted que el cincuenta por ciento del antedicho anticipo por la distribución debería llegar de algún modo a su bolsillo. Es inconcebible que una pareja tan encantadora como la formada por la señora Varnishke y usted albergue la psicótica fantasía de que tienen el más mínimo derecho al fruto de la creatividad de mi hijo. En pocas palabras, permítame asegurarle que, por más que la obra maestra de Algae alzara el vuelo entre las ruinosas chabolas presentadas en su folleto como el Hollywood de los montes Catskill, a ustedes les corresponde un diezmo del cero por ciento sobre las imprevistas ganancias de la sangre de mi sangre. Supongo que lo que intento decirles de una manera considerada a usted y a esa salamandra avariciosa que comparte su lecho y que, como por casualidad he sabido, es la impulsora de esta estafa por correo, es esto: váyanse a tomar viento.

Cordialmente,
Winston Snell

Mi querido señor Snell:

Muchas gracias por su pronta respuesta a mi nota y por la honrosa admisión de que la película de su hijo se lo debe todo a nuestro idílico centro de recreo campestre, descrito como «chabolas» en lo que, le aseguro, pronto será la Prueba A. Por otro lado, y a propósito de Elsie, le diré que no hay mujer más extraordinaria, pese a ciertos comentarios vulgares que usted dejó caer cuando vino de visita, llamando la atención sobre sus venas varicosas, cosa que no arrancó las risas ni siquiera de los mozos de comedor, que la odian como al raticida. Antes de abrir la boca para aludir jocosamente a esa a la que usted llama salamandra, debería saber que mi esposa es una abnegada mujer que padece una maldición conocida como síndrome de Ménière y créame si le digo que todas las mañanas, cuando se levanta de la cama, acaba chocando contra el armario. Debería tener usted una enfermedad así, seguro que entonces no jugaría al tenis con tanta agilidad cada semana en el club con sus compinches de pantalones de pinzas, todos ellos a punto de comparecer ante el juez. Yo, personalmente, no gano fortunas especulando con las pensiones ajenas. Dirijo un honrado y agradable campamento de cinematografía, que mi esposa y yo fundamos con el dinero ahorrado en la época en que teníamos una tienda de golosinas. Por aquel entonces, si vendíamos unos cuantos pares más de labios postizos quizá nos alcanzaba para comer carpa una vez por semana.

Entretanto, la película de su hijo se realizó bajo la

supervisión o, mejor dicho, con la colaboración de nuestro personal, unos profesionales fuera de serie que –se lo dice Monroe Varnishke– ya querrían para sí los grandes estudios: si contaran con ellos, no producirían siempre esa basura para edades mentales inferiores a diez años. Da la casualidad de que Sy Popkin, quien inculcó, y personalmente, los conceptos básicos al pequeño plasta de su hijo, es uno de los grandes talentos no reconocidos de Hollywood. Podría haber ganado cincuenta Oscars si no lo hubiesen sorprendido en México, una única vez, saliendo con Trotski y dos chicas, coincidencia que lo excluyó para siempre de las nóminas de esos tarados que a la mínima se acoquinan. También tenemos una asesora teatral, Hydra Waxman, que renunció a una prometedora carrera cinematográfica para consagrarse, y gratuitamente, a enseñar a estos gamberretes. Esta buena mujer –que en paz descanse, pero más adelante, cuando muera– dirigió, personalmente, al reparto de aficionados que actuaron en la película de su hijo, arrancando hábilmente a ese hatajo de gallitos sin talento hasta la menor pizca de aptitud histriónica, mientras su pequeño bastardo se quedaba de brazos cruzados entre bastidores contemplando el trabajo de Hydra y respirando dificultosamente por esa nariz suya llena de vegetaciones.

Por último, señor gerifalte de Wall Street, contamos con Abe Silverfish, un hombre galardonado con premios al mejor montaje en prestigiosos festivales cinematográficos de Tanganika y Bali. Éste –y que mi mujer perezca en una bañera de ácido si miento– guió y aleccionó a machamartillo al torpe de Algae, a quien, si quiere un consejo, debería usted administrarle un poco de Ritalin de vez en cuando, y quizás así dejaría de moverse como si tuviera el baile de San Vito. Silverfish, personalmente, estuvo al lado del equipo de montaje Avid y le enseñó dónde debía insertar cada unión. Dicho sea de paso, el chico utilizó todo nuestro material y, como buen manazas que es, estropeó la cámara Panavision recién estrenada: ahora, cuando aprieto el botón, emite un sonido semejante al que se oye al girar lentamente la manija de madera de esas carracas que mi mujer llama tarabillas. Así y todo, no le cobraré por eso, ya que estamos a punto de asociarnos en una nueva empresa.

Con todos mis respetos,
Monroe B. Varnishke

Querido señor Varnishke:
Insinuar que el personal que usted ha reunido se halla en un punto más alto de la escala evolutiva que una manada de dingos es una hipérbole delirante. ¡¿Asociarnos en una nueva empresa?! ¿Es que ha sufrido usted una embolia cerebral silente? En primer lugar, quiero dejar bien claro que la idea del guión fue concebida única y exclusivamente por mi hijo y está basada en una experiencia real que vivió la familia cuando el director de la funeraria del barrio creyó por equivocación que había ganado el Premio Nobel. Afir-

mar que un traidor como Popkin, que debió de pasar secretos atómicos a Trotski entre ración y ración de tacos, haya aportado siquiera una coma al guión de mi niño prodigio merece la misma credibilidad que las historias sobre el monstruo del lago Ness. En cuanto a la borracha de la señorita Hydra Waxman, he sabido por Internet que no ha salido en una sola película de más de ocho milímetros, y en éstas sólo bajo el seudónimo de Cara Melo. Por cierto, ¿sabe que su Silverfish fue despedido cuando montaba una película en Hollywood porque Henry Fonda aparecía varias veces del revés? Algae nos contó también que la cámara que le proporcionó, lejos de ser nueva, funcionaba a trompicones desde que usted se la lanzó a una socorrista de diecinueve años por rechazar sus proposiciones. ¿Le parece bien a la señora Varnishke que persiga usted a las empleadas? A propósito, le pido disculpas por denigrar el sistema circulatorio de su esposa con la precisión a veces excesiva de mi ingenio. Dado el sinfín de afluentes azules que surcan su topografía, no pude por menos que comentar su parecido con un mapa de carreteras.

Por último, deseo que con ésta concluya todo contacto entre nosotros. Toda correspondencia futura deberá remitirse directamente al bufete de Vomit y Vomit, Abogados.

Au revoir, zopenco.

Winston Snell

Mi querido señor Snell:

A Dios gracias, tengo el sentido del humor necesario para encajar alguna que otra pulla sin salir corriendo a comprar una de esas revistas de armas donde se ofrecen asesinos a sueldo. Permítame que le haga el favor de aclararle unos cuantos detalles. En cuarenta años jamás he mirado a una mujer excepto a Elsie, cosa que no ha sido fácil, ya que, soy el primero en reconocerlo, no es lo que se dice un pimpollo, a diferencia de esos curvilíneos monumentos nórdicos que posan en Dios sabe qué posturas para las revistas que probablemente usted espera babeando en los muelles mientras llegan los barcos de Copenhague.

En segundo lugar, y sólo por curiosidad: ¿de dónde ha sacado la peregrina idea de que ese cernícalo de hijo suyo es un niño prodigio? Sólo se me ocurre una explicación: debe de ser usted el típico experto financiero, siempre con un puro entre los labios, rodeado sin cesar de pelotilleros que le dan la razón en todo y le llenan la cabeza de esas paparruchas que a usted tanto le gusta oír, hasta que sale de la habitación y entonces, créame, alzan la vista al cielo, hastiados. Cuando Elsie y yo teníamos la tienda de golosinas, trabajaba para mí un pobre cretino, encargado de servir los refrescos. Lo contraté por pura bondad, pues su madre, que llevaba un implante de cadera, acabó con el hígado de un chino a causa de un error médico. Pero el caso es que ese pobre infeliz, el servidor de refrescos, con su coeficiente intelectual de dos cifras, tenía la talla mental de Isaac Newton en comparación con su Algae.

Por cierto, aquel mismo verano, Benno, el sobrino de Elsie, ganó el concurso de ortografía. Supo cómo se escribía «mnémmotécnica», y eso a los ocho años. A eso lo llamo yo un chico listo, y no su rubio hijo, esa criatura inhumana de ciencia ficción que parece salida de *Los cuclillos de Midwich* y que ha gozado de todas las ventajas en todos los colegios privados, con profesores particulares caros, pero que a pesar de eso no sabría decir cómo se llama sin mirarse la etiqueta de la camiseta.

Mientras tanto, en lugar de amenazarme con demandas, diga a sus picapleitos que, si lo analizan bien, verán que usted sólo dispone de una copia de la cinta que impulsó a los dos hermanos Weinstein a salir corriendo como un par de especuladores inmobiliarios para ofrecerle dieciséis millones de pavos, en tanto que nosotros tenemos aquí, guardado en una cabaña, el único negativo original. Ruego a Dios que no le pase nada, aunque siento decirle que la señora Varnishke ha manchado ya la primera toma con grasa de pollo.

Moe Varnishke

Varnishke:
He leído su última carta con una mezcla de compasión y miedo, la fórmula aristotélica para la tragedia. Compasión porque obviamente ignora que, al retener el negativo de la película de mi hijo, se vuelve usted culpable de un pequeño desliz social conocido como hurto mayor, y miedo porque anoche tuve un

sueño profético con imágenes muy vívidas en el que, después de ser condenado a prisión en Angola, un fornido recluso le clavaba a usted un destornillador en las tripas.

Si bien es posible obtener un negativo nuevo, aunque sea de inferior calidad, a partir de la copia que tenemos, le sugiero encarecidamente que envíe de inmediato el original a un servidor antes de que la delicada pátina sufra más daños, ya sea por efecto de la grasa de pollo o de cualquier otro de esos fétidos condimentos que usted y la gárgola que lo mira desde el otro lado de la mesa en el desayuno utilizan para que los platos que ella cocina sean comestibles. Mi paciencia se agota por momentos.

Winston Snell

Oiga, Snell:

Es usted, no yo, quien irá derecho al trullo, y si no lo encierran por intentar vender una película que no es de su exclusiva propiedad, lo encerrarán al menos por hacer circular cheques en descubierto, ya que ese genio de hijo suyo habla en sueños, y el pasatiempo preferido de Elsie es grabar con un magnetófono. Mientras, intentaré proteger el negativo, pero, créame, no será fácil. Para empezar, está mi sobrino Shlomo, que cumplirá seis años la semana que viene: una monada de crío, que se sabe el estribillo entero de *Ramala ding dong* en yiddish y en inglés. Pero afrontémoslo: a esa edad los niños son incontrolables. El otro día cogió una piedra afilada e hizo un rayote en medio de la segunda bobina. Le encanta sacar la bobina de la lata y rascar la emulsión con una navaja. ¿Por qué? ¿Lo sé yo acaso? Yo sólo sé que rasca y se queda tan campante. Y a mi hermana Rose se le derramó un tubo entero de crema Lubriderm en la bobina siete. La pobre. Su marido murió hace poco, un infarto fulminante, y eso que lo previne: no la mires directamente cuando sale de la ducha. En cualquier caso, es una lástima que sea usted tan obstinado, porque a estas alturas los dos podríamos estar sacando una buena tajada de la película, pero ya veo, es usted un hombre de principios. Por cierto, ¿qué es exactamente hacer circular cheques en descubierto? ¿Y por qué es delito? Tengo que dejarlo: el perro se ha hecho con el negativo.

Varnishke

Varnishke:

Es usted un vil paramecio. Le ofrezco una participación del diez por ciento en los derechos de distribución de la película de Algae. Aunque en realidad, usando su propio vocabulario, no se merece ni un centavo, sino un buen chorro de Raid.

Le aconsejo que acepte la oferta antes de que recobre el juicio y la retire de la mesa, ya que, en su caso, podría ser el pasaporte para abandonar el cutre mundo veraniego de los cineastas pubescentes y saltar a las delicias de Miami o las Bermudas. Tal vez, si destina una parte de sus ganancias a un buen cirujano plástico para una reconstrucción física completa, la señora Varnishke incluso sea autorizada a exhibirse en una playa pública.

Winston Snell

Querido muchacho:

Elsie ha salido del coma en que entró debido a un accidente que tuvo mientras ponía trampas para ratones; se agachó demasiado para oler el queso y asegurarse de que no estaba rancio. Y ¡bingo! En cualquier caso, despertó los segundos suficientes para susurrarme las palabras: «Que sea el veinte por ciento». Y luego volvió a dormirse como esas muñecas que cierran los ojos al inclinarlas. Entretanto, tan pronto como estampe su autógrafo en la línea de puntos –y ante notario, mencionó también mi mujer–, no sólo recibirá el negativo, sino que incluiremos gratis unas cuantas porciones de esa exquisita col rellena que prepara Elsie, con el ruego de que devuelva las fiambreras. Deseándole larga vida y bienestar, se despide

su nuevo socio,
Moe Varnishke

Querida niñera

«¿Qué maldad acecha en el corazón de los hombres? La Sombra lo sabe.» A esto seguía una risotada aviesa, y un escalofrío me recorría la columna vertebral todos los domingos cuando, de niño, en la lúgubre casa de mis progenitores, me acurrucaba fascinado junto a la radio Stromberg Carlson en los crepúsculos invernales. La verdad es que nunca tuve la menor idea de qué clase de depravación podía anidar siquiera en mi propio par de ventrículos hasta hace unas semanas, cuando recibí una llamada telefónica de mi costilla en mi despacho de Burke & Hare, en Wall Street. El timbre de su voz, por lo general firme, vibraba como partículas cuánticas, y adiviné que había vuelto a fumar.

–Harvey, tenemos que hablar –anunció. Sus palabras rezumaban malos augurios.

–¿Los niños están bien? –pregunté de inmediato, esperando que de un momento a otro me leyese el texto de una nota de rescate.

–Sí, sí, pero nuestra niñera..., nuestra niñera..., esa Judas sonriente, de cortesía a toda prueba, la señorita Velveeta Belknap...

–¿Qué pasa con ella? No me digas que la muy mema ha roto otra jarra de cerveza.

—Está escribiendo un libro sobre nosotros —contestó, y su voz parecía surgir de una catacumba.

—¿Sobre nosotros?

—Sobre sus experiencias como niñera nuestra en Park Avenue durante el último año.

—¿Cómo lo sabes? —pregunté con voz ronca, de pronto muy arrepentido por haberme tomado a risa a mi asesor jurídico cuando me recomendó un acuerdo de confidencialidad.

—He entrado en su habitación mientras ella iba al videoclub a devolver dos películas que saqué antes de las vacaciones, y sin querer he encontrado un montón de hojas impresas. Como es lógico, no he podido resistirme a echar una ojeada. Querido, es lo más malévolo y bochornoso que te puedas imaginar. En especial las partes en que habla de ti.

En mi mejilla, un tic inició su gimnasia arrítmica, y gotas de sudor empezaron a brotar de mi frente con audibles chasquidos.

—En cuanto vuelva la despido —dijo la Inmortal Amada—. La muy víbora me califica de «porcina».

—¡No! No la despidas. Eso no le impedirá escribir el libro y sólo la inducirá a hundir la plumilla en un tintero aún más cáustico.

—¿Y qué hacemos, pues, amor mío? ¿Sabes qué efecto tendrán estas revelaciones entre nuestras selectas amistades? No podremos pisar ninguno de los elegantes locales que ahora frecuentamos sin ser blanco de las crueles estocadas del ingenio en forma de mofas y comentarios satíricos. Velveeta te tacha de «mequetrefe contrahecho que paga a su desdichada progenie las guarderías más caras y luego no cumple en el tocador».

–No hagas nada hasta que llegue a casa –supliqué–. Esto requiere una pequeña sesión deliberativa.

–Más vale que reflexiones a toda pastilla, cariño, porque ya va por la página trescientos.

Dicho esto, la luz de mi vida estampó el auricular en la horquilla a velocidad fotónica, y en mis oídos resonó el agorero tañido de la condenada campana del poema de Donne. Fingiendo la enfermedad de Whipple, salí antes del trabajo e hice un alto en el emporio de la cerveza de la esquina para aplacar mis alborotados ganglios y analizar la crisis.

Nuestro historial con las niñeras había sido una montaña rusa, por decir poco. La primera fue una sueca que se daba un aire al boxeador Stanley Ketchel. Mujer de maneras parcas, sabía imponer disciplina entre la prole, que empezó a mostrar buenos modales en la mesa pero también inexplicables contusiones y moratones. Cuando nuestra cámara oculta la sorprendió con mi hijo atravesado horizontalmente sobre los hombros, doblándolo una y otra vez, en lo que se conoce en lucha como el quebrantaespaldas argentino, interrogué a la mujer acerca de sus métodos.

Poco acostumbrada a las intromisiones, me levantó de los mocasines y me inmovilizó contra el papel de la pared a casi un metro del suelo.

–Mantenga la nariz fuera de mi tazón de arroz –aconsejó–, a menos que quiera acabar hecho un nudo de rizo.

Indignado, la puse de patitas en la calle esa misma noche, sin más ayuda que la de un comando del GEO.

Su sucesora, una *au pair* francesa de diecinueve años llamada Véronique, rubia, toda contoneos y arrullos, con los morritos de una actriz porno, las piernas largas y bien torneadas y una delantera que casi requería andamiaje, era, con diferencia, menos agresiva.

Lamentablemente, su dedicación a nuestra descendencia adolecía de superficialidad, pues prefería apoltronarse en la *chaise longue* sin más indumentaria que una combinación y ventilarse trufas de chocolate mientras hojeaba las páginas de *W*. Yo demostré mayor flexibilidad que mi esposa a la hora de adaptarme al estilo personal de esta criatura e incluso intenté ayudarla a relajarse con algún que otro masaje en la espalda, pero cuando mi yugo se dio cuenta de que yo había adquirido la costumbre de usar cremas Max Factor y llevarle el desayuno a la cama a la pequeña gabacha, metió una nota de despido entre los pliegues de la *poitrine* de Véronique y plantó su Louis Vuitton en la acera.

Y después vino Velveeta, una joven agradable y hacendosa, cerca ya de los treinta, que cuidaba bien de los niños y era consciente de su lugar en la mesa. Conmovido por su estrabismo, yo había tratado a Velveeta más como a un miembro de la familia que como a una empleada, y a pesar de eso, mientras aceptaba segundas raciones de bizcocho y accedía en sus horas libres a la butaca más cómoda de la casa, se dedicaba a pergeñar en secreto un retrato poco halagüeño de sus benefactores.

Al llegar a casa y examinar a escondidas la calumniosa narración, me quedé de una pieza.

«Un hombre amargado, un cero a la izquierda que se apropia de los méritos de sus colegas en el bufete», había escrito el súcubo. «Un bipolar de remate que tan pronto malcría a sus hijos como les pega con la correa de afilar navajas por la menor infracción.» Hojeé la vil recopilación y me quedé abochornado ante el amasijo de blasfemias:

«Harvey Bidnick es un zoquete sin dos dedos de frente, un pequeño protón que habla por los codos y se cree muy divertido pero duerme a los invitados con sus continuos chistes, que ya no se consideraban graciosos ni entre los humoristas judíos de los años cincuenta. Con su imitación de Satchmo, hasta los más intrépidos huyen despavoridos de la sala. La mujer de Bidnick es otra prenda de cuidado. Un témpano de hielo de muslos fláccidos, incapaz de procesar cualquier referencia de una complejidad intelectual superior a Manolo Blahnik y Prada. La pareja no para de discutir, y una vez, cuando la mujer se presentó con una factura de seis cifras por un Wonderbra confeccionado especialmente para ella, Bidnick se negó a pagarla. Ella, furibunda, le arrancó el peluquín de la cabeza, lo lanzó al suelo y le pegó varios tiros con un revólver que guardan a mano por si sufren un robo. Bidnick se atraca de Viagra, pero esas dosis de caballo le provocan alucinaciones y lo inducen a imaginar que es Plinio el Viejo. Hasta el último centímetro del cuerpo de su mujer, que envejece al mismo ritmo que María cuando salió de Shangri-La en *Horizontes perdidos,* ha sido sometido al Botox o al bisturí. En cuanto a su conversación, lo que más le gusta es denigrar a los amigos. Los Birdwing son "unos gordos tacaños que sirven raciones pequeñas y el cordero invariablemente poco hecho". El doctor Diverticulinsky y su esposa son "un buen par de incompetentes veterinarios responsables de la muerte de más de un pez de colores". Y los Offal son "esa pareja francesa cuya depravación incluye relaciones íntimas con las figuras del museo de Madame Tussaud"».

Dejé las páginas del revelador mamotreto de Velveeta, fui a nuestro bar, me eché entre pecho y espalda una sucesión de lingotazos de potente configuración, y en ese mismo momento decidí matarla.

–Si quemamos el papel, sencillamente sacará una copia –farfullé con la lengua cada vez más suelta, como un borracho de vodevil–. Si intentamos comprar su silencio con dinero, incluirá el soborno en las memorias o se embolsará la pasta y las publicará de todos modos. No, no –dije, transmutándome en todos los villanos del celuloide policíaco con el que crecí–. Hay que quitarla de en medio. Como es lógico, debe parecer un accidente. Quizás un atropello y fuga.

–Tú no conduces, ojos azules –precisó la inexorable lagarta que tenía enfrente, apurando su propio vaso de ginebra con vermú–. Y nuestro chófer, Measly, no le atinaría ni a un establo con esa limusina blanca Lincoln de triple largo con la que lo obligas a ir de un lado a otro.

–¿Y una bomba? –masscullé–. Un artefacto de precisión cuidadosamente programado para estallar justo cuando suba a su aparato gimnástico simulador de escaleras.

–¿Estás de broma? –dijo la luz de mi vida con voz ronca, sucumbiendo un poco más a su brebaje de grano–. No sabrías hacer una bomba ni aunque te entregasen el plutonio en mano. ¿Recuerdas aquel Año Nuevo chino en que se te cayó la candela romana en el pantalón? –Mi mujercita soltó una áspera carcajada–. ¡Dios, cómo te levantaste de repente y saltaste por encima del tejado del garaje en Quoge! ¡Qué trayectoria! –vociferó.

–Entonces la defenestraré. Falsificaremos una nota o, mejor aún, la induciremos a escribirla con algún astuto pretexto utilizando papel carbón, y luego la tiraremos por la ventana.

–¿Tú vas a levantar a una niñera de setenta kilos hasta el alféizar de la ventana y obligarla a saltar mientras forcejea? ¿Con tus bíceps? Acabarás en el servicio de urgencias de Lenox Hill con tal infarto de miocardio que, en comparación, el Krakatoa parecerá un pequeño contratiempo.

–¿Crees que no soy capaz de liquidarla? –dije, pimplándome rápidamente la quinta copa y transformándome en un personaje de Alfred Hitchcock–. Tendrá libertad para moverse de un lado a otro, pero llevará grilletes. Gradualmente, su estado empeorará. –Visualicé la cámara desenfocada que inducía al público de *Encadenados* a verlo todo desde el punto de vista cada vez más débil de Ingrid Bergman mientras el veneno de Claude Rain surtía efecto. También mi vista estaba un poco desenfocada cuando me levanté y, tambaleándome, me acerqué al botiquín, donde agarré el frasco de tintura de yodo. En ese instante se abrió la puerta y entró Velveeta.

–Vaya, señor Bidnick, ya está en casa. ¿Lo han despedido? Ja, ja. –El roedor se rió de su insolente ocurrencia.

–Pasa –dije–. Llegas justo a tiempo para un café.

–Ya sabe que no tomo café –objetó.

–Una infusión, quería decir –corregí trastabillando hacia la cocina para encender el hervidor.

–¿Otra vez como una cuba, señor Bidnick? –preguntó la sentenciosa sabandija.

–Siéntate aquí –indiqué, pasando por alto las confianzas que se tomaba. A esas alturas, mi esposa se había desplomado y roncaba en el suelo.

–La señora Bidnick debería dormir sus horas –censuró la petulante canguro a la vez que me guiñaba el ojo–. ¿A qué dedican las noches ustedes los hastiados plutócratas?

Con la astucia de una mente privilegiada como la mía, eché un vistazo por encima del hombro para comprobar que ella no miraba y vacié el frasco de yodo en la taza de Velveeta. Acto seguido, coloqué artísticamente en un plato suculentos pastelitos y se los ofrecí.

–Caray –exclamó–, esto es nuevo. Nunca habíamos compartido el desayuno a las once y media de la mañana.

–Deprisa –insté–, bebamos antes de que se enfríe.

–¿No tiene eso un color un poco oscuro para ser manzanilla? –se quejó la pérfida majadera.

–Tonterías –expliqué–. Es una mezcla poco común, recién llegada de Lashkar Gāh. Venga, bebe. Mmm... Qué ahumada e intensa, ¿eh?

Acaso fuera por el estrés de la mañana, o acaso por la concatenación de potenciadores del aplomo que me había echado al coleto antes del mediodía, la cuestión es que, no sé cómo, me las ingenié para tomarme yo, por error, la infusión bautizada. Al instante me doblé y empecé a agitarme en el suelo como una trucha fuera de su elemento. Tendido en la alfombra, me agarré el vientre y gemí como Ethel Waters cantando *Stormy Weather* mientras nuestra alarmada niñera pedía una ambulancia por teléfono.

Recuerdo las caras de los auxiliares médicos, y la sonda estomacal, y recuerdo con especial claridad, una vez recuperado, la nota que Velveeta me entregó. En su carta de dimisión explicaba que ser niñera empezaba a aburrirle, y que había barajado la posibilidad de escribir un libro, pero desechó la idea porque los personajes principales eran demasiado repulsivos para mantener el interés de cualquier lector con un cociente intelectual dentro de los parámetros normales. Nos

77

dejaba para casarse con un millonario que se la ligó un día ante la estatua de Alicia en el País de las Maravillas, en Central Park, donde a menudo llevaba a nuestros hijos. ¿Y qué hay de los Bidnick? Pues no tenemos intención de contratar a otra niñera hasta que se produzca un grandísimo avance tecnológico en la robótica.

Qué paladar tienes, muñeca

El cachet de la trufa blanca alcanzó nuevas cotas el pasado domingo, en Londres, con un ejemplar de un kilo doscientos gramos que se vendió en subasta por 110.000 dólares. La adquirió un comprador de Hong Kong no identificado.

The New York Times, 15 de noviembre de 2005

Como detective privado, estoy dispuesto a recibir un balazo por mis clientes, pero eso tiene un precio: quinientos de los grandes la hora más gastos, que suelen equivaler a todo el Johnnie Walker que pueda echarme entre pecho y espalda. Aun así, cuando una monada como April Sensualle se presenta en mi despacho armada de sus feromonas y solicita mis servicios, el trabajo puede convertirse en *pro bono* por arte de magia.

–Necesito su ayuda –ronroneó, y mientras cruzaba las piernas en el sofá, sus medias negras de seda dejaron claro que aquello era una guerra sin cuartel.

–Soy todo oídos –dije, convencido de que la ironía sexual implícita en la inflexión de mi voz no pasaría inadvertida.

–Necesito que vaya usted a Sotheby's y puje por algo en mi nombre. Como es lógico, yo corro con los gastos. Pero es importante para mí permanecer en el anonimato.

Por primera vez vi más allá de su pelo rubio, de sus labios como almohadas y de los dirigibles idénticos que tensaban la blusa de seda hasta el límite de su resistencia: la chica estaba asustada.

–¿Por qué objeto tengo que pujar? –pregunté–. ¿Y por qué no puede hacerlo usted misma?

–Quiero que puje por una trufa –contestó a la vez que encendía un cigarrillo–. Puede llegar hasta diez millones de dólares. Bueno, quizá doce si la cosa se pone reñida.

–Ajá –asentí, mirándola con la misma expresión que suele traslucirse en mis ojos antes de marcar el número del manicomio–. No está mal para un antojo.

–No sea vulgar –replicó, claramente ofendida–. Le pagaré el doble de sus honorarios habituales. Pero no salga de Sotheby's sin ella.

–¿Y si le dijera que, por la compra de un hongo, cualquier cantidad superior a los cinco millones de dólares resulta un tanto sospechosa? –pregunté con ánimo de provocarla.

–Es posible..., pero la trufa Bundini se vendió por veinte millones, el precio más alto registrado por un tubérculo en una subasta; aunque, claro, había sido propiedad del Aga Khan y era de un blanco impoluto. Y no me falle, porque hace poco un magnate del petróleo tejano me superó en la puja por un trozo de *foie,* ofreciendo ocho millones contra mis siete. Eso después de vender yo dos Chagalls para reunir el dinero.

–Recuerdo haber visto ese *foie* en el catálogo de Christie's. A mí me pareció una pasta considerable por una ración no mayor que un aperitivo. Pero si eso hizo feliz al magnate del petróleo...

–Le costó la vida –dijo ella.

–No.

–Sí. Un conde rumano, a quien nada satisfacía más que degustar el sublime hígado de oca, le hundió un puñal entre los omóplatos y le robó el sabroso y húmedo manjar –explicó mientras encendía otro cigarrillo con la colilla del primero.

–Mala suerte –comenté, mirándola de hito en hito.

–Pero ya se sabe que quien ríe el último... –prosiguió ella, y soltó una carcajada–. Esa exquisitez rica en colesterol por la que había asesinado resultó ser falsa. Verá, el conde, en un gesto de amor, depositó el *foie* a los pies de la gran duquesa de Estonia, y cuando ella descubrió que era un vulgar paté, él se quitó la vida.

–¿Y qué fue del *foie* auténtico? –pregunté.

–Nunca se recuperó. Hay quien dice que se lo zampó un productor de Hollywood en Cannes. Según otros, un egipcio llamado Abú Hamid quedó tan impactado al probarlo que lo introdujo en una jeringuilla e intentó metérselo directamente en vena. Y otros cuentan que cayó en manos de un ama de casa de Flatbush que, confundiéndolo con comida para gatos, se lo dio a su minino.

April abrió el billetero, extrajo un cheque y escribió la cifra correspondiente a mis honorarios.

–Una pregunta –dije–: ¿Por qué no puede enterarse nadie de que quiere usted la trufa?

–Los gourmets de una red gastronómica de Estambul, desesperados por rayarla sobre sus *fettucini,* se han infiltrado en nuestras fronteras. Quieren la trufa, y no se detendrán ante nada. Toda mujer soltera que posea semejante delicia pondrá su vida en grave peligro.

De pronto sentí un escalofrío. Hasta la fecha sólo había investigado un caso en torno a un comestible caro, y fue un asunto bastante sencillo relacionado con un hongo portobello: se presentaron cargos contra un candidato electoral por comportamiento indecoroso hacia el hongo, pero las acusaciones resultaron infundadas. Acordamos que yo llevaría la trufa a la suite 1600 del Waldorf, donde, dijo April coquetamente, me esperaría con una prenda de color piel que Dios había creado para ella. Tan pronto como aquel trasero suyo, digno de un galardón, desapareció con un contoneo en el ascensor, puse un par de conferencias transatlánticas a Fortnum & Mason y a Fauchon. Sus gerentes me debían un pequeño favor desde que rescaté para ellos seis anchoas de valor incalculable robadas por un *dacoit.* Después de recabar información sobre April Sensualle, me fui en taxi a York Avenue.

En Sotheby's, las pujas estuvieron animadas. Una quiche se remató en tres millones, un par de huevos duros a juego alcanzaron los cuatro, una tarta de carne que en su día perteneció al duque de Windsor se vendió por seis millones. Cuando salió a subasta la trufa, un murmullo recorrió la sala. La puja partió de cinco millones de dólares, y en cuanto los pusilánimes se borraron del mapa, todo se redujo a un partido de tenis entre un gordo tocado con un fez y yo. Al llegar a los doce millones de pavos, el plutócrata porcino alcanzó su tope y se rindió, visiblemente afectado. Reclamé la cosa esa de un kilo doscientos gramos, la guardé en una taquilla de la consigna de Grand Central y me fui derecho a la suite de April.

–¿Ha traído la trufa? –preguntó, abriendo la puerta con una bata de raso. Debajo sólo llevaba protoplasma bien distribuido.

–Descuide –respondí, y le dediqué una abierta y confiada sonrisa–. Pero ¿y si primero hablamos de números?

Lo último que recuerdo antes de que se apagaran las luces fue el impacto entre mi coronilla y lo que se me antojó un cargamento de ladrillos. Al despertar, vi relucir una pistola de baratillo apuntada directamente hacia esa bomba en forma de tarjeta de San Valentín que utilizo para agilizar el flujo sanguíneo. El gordo del fez, mi rival en Sotheby's, acariciaba el seguro del arma para mi entretenimiento. April, sentada en el sofá, hundía sus preciosos pómulos en un cuba libre.

–Bien, caballero, vayamos sin rodeos al asunto que nos ha traído hasta aquí –dijo el gordo, dejando una patata cocida en la mesa.

–¿Qué asunto? –repuse con sorna.

–Vamos, caballero, no me venga con ésas –contestó con un resuello–. Como sin duda ya sabe, no se trata de un ascomiceto vulgar y corriente. Usted tiene la trufa de Mandalay. La quiero.

–Es la primera vez que oigo hablar de eso –respondí–. Ah, un momento. ¿No es lo que usaron para matar a golpes a aquel playboy, Harold Vanescu, en su apartamento de Park Avenue el año pasado?

–Ja, ja, es usted muy gracioso, caballero. Permítame contarle la historia de la trufa de Mandalay. El emperador de Mandalay se casó con una de las mujeres más gordas y feas del país. Cuando la fiebre porcina segó la vida de todos los cerdos de Mandalay, el emperador preguntó a su esposa si estaría dispuesta a desenterrar ella las trufas. En cuanto la mujer olió esa trufa en particular, quedó claro que poseía un valor indiscutible, y se vendió al gobierno francés, que la expuso en el Louvre. Allí permaneció hasta el expolio del ejército alemán durante la segunda guerra mundial. Se cuenta que Göring estuvo a escasos segundos de comérsela, pero la noticia del suicidio de Hitler le aguó la fiesta. Después de la guerra se le perdió el rastro hasta que reapareció en el mercado negro internacional, donde un consorcio de hombres de negocios la adquirió y la llevó a De Beers, en Amsterdam, con la intención de cortarla y vender los trozos por separado.

–Está en la consigna de Grand Central –dije–. Máteme, y tendrá que decorar esa patata con crema agria y cebolletas.

–Ponga usted el precio –contestó.

April se había ido a la habitación contigua y la oí telefonear a Tánger. Me pareció distinguir la palabra *crêpes;* por lo visto, había reunido el dinero para el pago inicial de una *crêpe* de altos vuelos, pero en el traslado a Lisboa alguien le había cambiado el relleno.

Quince minutos después puse el precio, mi secretaria trajo un paquete de un kilo doscientos gramos de peso y lo colocó en la mesa. El gordo lo desenvolvió con manos trémulas y, valiéndose de una navaja, rebanó una fina loncha para probar. De repente, entre sollozos, empezó a cortar la trufa a tajos en un arrebato de ira descontrolada.

–¡Dios santo! –exclamó–. ¡Es falsa! Y aunque es una falsificación excelente, que imita el sabor a frutos secos de la trufa, mucho me temo que nos hallamos ante una gran bola de matzá.

Acto seguido, salió por la puerta y me dejó a solas con una diosa estupefacta. Sacudiéndose la consternación, April me taladró con sus luceros de color aguamarina.

–Me alegro de que se haya ido –dijo–. Ahora estamos solos usted y yo. Seguiremos la pista a la trufa y nos la repartiremos. No me extrañaría que tuviese efectos afrodisíacos.

Dejó deslizar la bata hasta el punto justo. Estuve en un tris de sucumbir a toda esa gimnasia absurda para la que la naturaleza programa la sangre, pero se impuso mi instinto de supervivencia.

–Lo siento, encanto –dije, y di un paso atrás–. No pienso acabar como tu último marido, en la cámara frigorífica municipal con una etiqueta en el dedo gordo del pie.

–¿Cómo? –Se quedó lívida.

–Así es, muñeca. Tú mataste a Harold Vanescu, el gourmet internacional. No hace falta ser una lumbrera para sumar dos y dos.

Se precipitó hacia la puerta, pero le corté el paso.

–Está bien –dijo con resignación–. Supongo que se acabó lo que se daba. Sí, yo maté a Vanescu. Nos conocimos en París. Yo había pedido caviar en un restaurante y me había cortado con la punta de una tostada. Él acudió en mi auxilio. Me impresionó su soberbio desdén por las huevas rojas. Al principio, todo fue maravilloso. Me colmó de regalos: espárragos blancos de Cartier, un frasco de vinagre balsámico del que, como él sabía, siempre me ponía unas gotas detrás de las orejas cuando salíamos... Fuimos Vanescu y yo quienes robamos la trufa de Mandalay del Museo Británico colgándonos cabeza abajo y cortando el cristal de la vitrina con un diamante. Yo quería hacer una tortilla de trufa, pero Vanescu tenía otros planes. Él quería venderla en el mercado de objetos robados y destinar el dinero a comprar una villa en Capri. Al principio, nada le parecía demasiado bueno para mí; después advertí que las porciones de beluga en nuestras tostaditas eran cada vez más pequeñas. Le pregunté si tenía problemas en la Bolsa, pero él se echó a reír ante la sola idea. Pronto me di cuenta de que, en secreto, había pasado del Beluga al Sevruga, y desde que lo acusé de poner Ossetra en un blini, se volvió irascible y poco comunicativo. Se había convertido en un hombre frugal, e incluso se preocupaba por los gastos. Una noche llegué a casa antes de lo previsto y lo sorprendí preparando entremeses con caviar de pez pulmonado. Nos enzarzamos en una violenta pelea. Le pedí el divorcio, y discutimos por la custodia de la trufa. En un arrebato de ira, la cogí de la repisa de la chimenea y lo golpeé con ella. Al caer, se dio de cabeza justo contra un caramelito de menta. Para esconder el arma del crimen, abrí la ventana y la lancé a la caja de un camión que pasaba. He estado buscándola desde entonces. Una vez libre de Vanescu, creí sinceramente que por fin podría zampármela. Ahora podemos buscarla y compartirla... usted y yo.

Recuerdo su cuerpo contra el mío y un beso que me hizo salir vapor por las orejas. También recuerdo la expresión de su cara cuando la entregué a la policía de Nueva York. Dejé escapar un suspiro mientras contemplaba su equipamiento de primera cuando la pasma la esposó y se la llevó. A continuación me acerqué al Carnegie Deli para tomarme un bocadillo de pastrami con pan de centeno, acompañado de pepinillos y mostaza: esa materia de la que están hechos los sueños.

Gloria aleluya, ¡adjudicada!

El portal de subastas por Internet eBay ha adquirido una nueva dimensión espiritual con la aparición de un vendedor que ofrece oraciones a cambio de dinero. El Hombre de las Oraciones, como se hace llamar, con sede en el condado de Kildare, Irlanda, subasta cinco oraciones, y la puja por cada una de ellas parte de una libra. Los interesados con acuciantes necesidades espirituales pueden comprarlas inmediatamente por cinco libras.

De una hoja parroquial, agosto de 2005

Cuando se supo que el programa *El ombudsman bailarín* había tenido un índice de audiencia de menos treinta y cuatro, algunos en Nielsen comentaron que los telespectadores que tuvieron la fatalidad de sintonizar el programa se arrancaron después los ojos como Edipo. Al final, la realidad se impuso y nuestro equipo fue convocado en el despacho del productor, Harvey Nectar, donde se ofreció a los guionistas la alternativa entre dimitir o entrar en una habitación cerrada con un revólver. No restaré importancia a mi parte de responsabilidad en lo que *Variety* calificó de «catástrofe comparable al meteorito que acabó con los dinosaurios», pero sí diré en mi defensa que yo era bá-

89

sicamente un especialista en dinamización contratado a última hora para aligerar mediante gags mímicos las escenas en las unidades de quemados.

Mis últimas temporadas en televisión no han sido precisamente fáciles, y por lo visto las numerosas pifias en que figuraba mi nombre se han sucedido con la implacable tenacidad de un bombardeo por saturación. Mi agente, Gnat Louis, tardaba cada vez más en devolverme las llamadas, y finalmente, cuando un día lo cogí por banda ante unas barbillas de salmón en el restaurante japonés Nobu, se sinceró conmigo y señaló que, en la industria, el nombre de Hamish Specter en los créditos finales era sinónimo de cianuro de potasio.

Impertérrito ante el giro de los acontecimientos pero, aun así, necesitado de una ración mínima de materia calórica a fin de permanecer entre los vivos, rastreé las ofertas de empleo y di por casualidad con una muy curiosa en *The Village Voice*. El anuncio rezaba: «Se busca bardo para redactar material muy especial. Bien pagado. Ateos abstenerse, por favor».

Pese al escepticismo que dominó mi adolescencia, en los últimos tiempos, tras hojear un catálogo de Victoria's Secret, había empezado a creer en un ser supremo. Pensando que aquello podía ser el camino amarillo del Mago de Oz para volver a empezar de cero, me afeité y me puse mi atuendo más solemne, un traje negro con chaqueta de tres botones que habría sido la envidia de cualquier portador de féretros. Tras comparar el importe de un medio de transporte privado y el metro, me fui derecho a la boca más cercana del transporte subterráneo y me trasladé a Brooklyn, donde, encima de la Rocky Fox's Stick Academy –una sala de billar con la habitual clientela de impresentables buscando el mejor tiro para sus bolas blancas–, se encontraba la sede nacional de Moe, el Jockey de la Oración.

En la oficina donde entré, lejos de un ambiente eclesiástico, se respiraba la vertiginosa energía del *Washington Post*. Estaba compartimentada en numerosos cubículos donde escribientes afanosos producían oraciones en serie para atender lo que a todas luces era una extraordinaria demanda.

–Pase –indicó una corpulenta presencia a la vez que devoraba una pila de galletas rellenas de mermelada–. Moe Bottomfeeder, el Jockey de la Oración. ¿En qué puedo servirle?

–He visto su anuncio –dije casi sin aliento–. En el *Voice*. Justo debajo de las estudiantes de Vassar especializadas en masaje corporal.

–Ah, sí, sí –contestó Bottomfeeder, lamiéndose los dedos–. Conque quiere ser redactor de salmos, ¿eh?

–¿De salmos? –pregunté–. ¿Como «El señor es mi pastor, nada me falta»?

–No lo menosprecie –replicó Bottomfeeder–, es todo un éxito. Ya le gustaría a usted. ¿Tiene experiencia?

–Pues de hecho escribí para la televisión el guión de un episodio piloto titulado *Gracias, pero monjas no*, sobre unas hermanas muy devotas que construyen una bomba de neutrones en un convento.

–Las oraciones son otra cosa –aclaró Bottomfeeder, quitando valor a mis méritos–. Además de infundir esperanza, tienen que ser reverentes, pero sobre todo..., y he ahí la diferencia entre el creador de súplicas con verdadero talento y el simple plumífero de tarjetas de felicitación..., las oraciones tienen que ser redactadas de manera tal que si no se cumple la plegaria, el incauto..., digo, el creyente..., no pueda demandarnos. ¿Capta la idea?

–Creo que sí. Prefiere usted ahorrarse el coste en litigios –comenté en broma.

Bottomfeeder me guiñó el ojo. Su traje a medida y su Rolex indicaban claramente que era un tiburón de los negocios, como el inversor Samuel Insull o el difunto atracador de bancos Willie Sutton.

–Lo crea o no, empecé como machaca igual que usted –dijo, lanzándose sin que nadie se lo pidiera a un discurso sobre sus años de formación–. Al principio vendía corbatas de una maleta abierta, a lo Ralph Lauren. Los dos hemos llegado lejos. Él en el mundo de la moda, yo desplumando a la grey. Las cosas como son: la mayoría de la gente tiene unas acuciantes necesidades espirituales. Hablando en plata, no hay cretino que no rece. Con la vieja peonza dreidel, escribí un par de invocaciones lastimeras en mi portátil, y a la tía que me estaba tirando en esa época se le ocurrió la brillante idea de subastarlas en eBay. Al poco tiempo la demanda era tan grande que me vi obligado a contratar personal. Tenemos oraciones para la salud, para los problemas amorosos, para ese aumento de sueldo que uno anhela, para el nuevo Maserati, quizá para un poco de lluvia si uno es de campo... y, por supuesto, para las carreras de caballos, las quinielas, y nuestro superventas: «Oh Padre celestial, Dios y Señor de huestes, ábreme las puertas del reino de la gloria para siempre jamás y permíteme, sólo por una vez, ganar a la lotería... Ah, Señor, y que sea el Gordo». Como le decía, el texto debe redactarse de tal manera que, si la solicitud celestial pincha, nosotros no acabemos en el juzgado.

En ese momento se abrió la puerta y asomó una cara atribulada.

–Eh, jefe –gimoteó el confuso redactor–, un tío de Akron quiere una oración para que su mujer le dé un hijo. Me he quedado en blanco y no encuentro un enfoque original.

–Ah, me olvidaba –dijo Bottomfeeder, dirigiéndose a mí–, acabo de incorporar un servicio de oraciones personalizadas. Adaptamos el texto conforme a las necesidades individuales de los indignos y enviamos los ruegos hechos a medida. –A continuación, volviéndose hacia su subalterno, bramó–: «Que en verdes praderas la hembra yazca y alumbre potrillos en abundancia».

–Brillante, jefe –elogió el redactor–. Sabía que si me quedaba atascado con una maldita frase...

–No, un momento –interrumpí de pronto–. Mejor esto: «... y fructíferamente se multiplique».

–Caramba –dijo Bottomfeeder–, lo ha pillado usted al vuelo. Este joven es un hacha.

Me deleitaba aún con el cumplido cuando sonó el teléfono. Bottomfeeder se abalanzó sobre el aparato.

–Aquí el venerable Moe Bottomfeeder, Jockey de la Oración... ¿Cómo?... Disculpe, señora. Tendrá que hablar con nuestro departamento de reclamaciones. Nosotros no garantizamos que el Señor conceda lo que usted pide. Él hace cuanto está en sus manos. Pero no desespere, mujer. Quizás aún encuentre a su gato... No, no devolvemos el dinero. Lea la letra pequeña en el contrato de compra de la oración. Ahí se especifican tanto nuestra responsabilidad civil como la del Señor. Pero lo que sí haremos será enviarle de obsequio una de nuestras bendiciones, y si se pasa por el Lobster Grotto de Queens Boulevard y les dice que va de parte del Señor, le servirán un cóctel gratis. –Bottomfeeder colgó–. Todo el mundo me persigue. La semana pasada me demandaron por enviarle a una mujer el sobre equivocado. Ella quería un poco de ayuda divina para su operación de cirugía estética y, por error, le mandé una oración por la paz en Oriente Medio. Y en éstas, resulta que Sharon abandona Gaza y ella sale de la mesa de operaciones con la cara de Jake LaMotta. Así pues, ¿qué me dice, amigo? ¿Se queda o se va?

La integridad es un concepto relativo, y es mejor dejársela a mentes perspicaces como Jean-Paul Sartre y Hannah Arendt. La verdad es que cuando silban los vientos invernales y la única morada que uno puede permitirse es una caja de cartón en la Segunda Avenida, los principios y los ideales elevados tienden a desaparecer en medio de un remolino por el desagüe del cuarto de baño. Aplazando, pues, los planes para el Nobel, apreté los dientes y alquilé mi musa a Moe Bottomfeeder. Durante los seis meses que siguieron, debo confesar, un sinfín de esas súplicas de intervención divina que acaso usted o los suyos adquirieron mediante compra o puja en eBay fueron redactadas por el otrora niño prodigio de la señora Specter, Hamish, o sea, un servidor. Entre mis textos más memorables está: «Mi queridísimo Señor: sólo tengo treinta años y ya me estoy quedando calvo. Restaura mi pelo y úngeme las zonas ralas con tu incienso y mirra». He aquí otro clásico de Specter: «Señor Dios, rey de Israel: en vano he intentado desprenderme de diez kilos. Líbrame de la polisarcia y protégeme de las féculas y los hidratos de carbono. Oh, Señor, mientras recorro este valle, sálvame de la celulitis y las dañinas grasas saturadas».

Tal vez el precio más alto pagado en una subasta de oraciones fue por mi conmovedora plegaria: «Regocíjate, oh Israel, pues la Bolsa tiende al alza. Oh, Señor, ¿puedes hacerlo ahora por el Nasdaq?».

Sí, los billetes de cien llovieron en mi cuenta bancaria como maná del cielo hasta que, un día, dos caballeros morenos, con importantes inversiones en el cemento siciliano, se presentaron en la oficina en ausencia de Bottomfeeder. Yo estaba sentado ante mi escritorio, analizando la ética de una plegaria para los nuevos propietarios de una vivienda que pedían la castración de su contratista de obras. No había tenido tiempo aún de preguntar a las visitas en qué podía servirles cuando, de pronto, el que se hacía llamar Cheech me tenía ya sujeto por el pescuezo y, tras sacarme por la ventana, me mantenía suspendido en el aire, a gran altura por encima de Atlantic Avenue, mientras de mi garganta salía un sonido semejante al de un pífano.

–Debe de haber un malentendido –chillé, escudriñando la acera a lo lejos con algo más que un interés personal.

–Nuestra hermana ganó en subasta una oración la semana pasada –dijo él–. Pujó mucho dinero por ella en eBay.

–Ya, ya –conseguí decir con voz ahogada–. El señor Bottomfeeder volverá a las seis. Él se ocupa...

–Hemos venido para darte un mensaje. Más vale que la junta de la comunidad de vecinos la acepte como inquilina –explicó Cheech.

–Sabemos que esa oración la escribiste tú –añadió su hermano, provisto de un piolet–. Quiero oírla, y en voz bien alta.

Para no negarme a su petición y quedar como un aguafiestas, recité el material en cuestión al estilo de Joan Sutherland.

–«Muy bendito seas, Señor. Concédeme en tu infinita sabiduría el apartamento de dos habitaciones con cocina americana en la esquina de Park y la Setenta y Dos.»

–Pagó mil doscientos pavos por esa oración. Más vale que se haga realidad –insistió Cheech, entrándome bruscamente y colgándome del perchero como un pato en un escaparate de Chinatown–. O eso, o enviaremos por correo tus brazos y tus piernas a cuatro direcciones distintas.

Dicho lo cual, salieron de la oficina de Moe Bottomfeeder, el Jockey de la Oración. Al cabo de bastante rato, confiando en que estarían ya bastante lejos, salí yo también.

No sé si el edificio en cuestión admitió por fin a Teresa Calebrezzi como inquilina, pero sí puedo asegurar que, si bien aquí en Tierra del Fuego no hay mucho trabajo para redactores, aún conservo las rótulas intactas. Amén.

Peligro, caída de magnates

Mientras examinaba la cartelera en el *Times* buscando desesperadamente algo con lo que darme un atracón de celuloide para combatir un verano de calor y esas lecturas barométricas que uno relaciona con el mes de agosto en el condado de Yoknapatawpha, tuve la suerte de encontrar una interesante rareza titulada *El chico que conquistó Hollywood*. Esta nostálgica película documental contaba la historia de un joven Príncipe Azul, que pasó de actor de segunda fila en un insignificante papel de torero a alto directivo de ímpetu taurino en unos estudios de Hollywood, para acabar en la ruina a causa de las banderillas de la ambición ciega, el fracaso matrimonial y la inoportuna aprehensión por parte de funcionarios públicos de un copioso alijo de nieve. Emocionalmente afectado por esta tragedia digna de Eurípides, esa noche me abstuve de dormir para escribir un guión sobre el orgullo desmedido en la Tierra de los Dulces Sueños: un manuscrito que promete ser un acontecimiento artístico y comercial sin precedentes desde *Howard, un nuevo héroe*. A continuación pueden leer algunas escenas.

Fundido a un tenderete en el West Side de Manhattan. Sirviendo perritos calientes y leche de coco, hay un buen hombre de aspecto abatido, ya cincuentón, cuyo rostro prematuramente envejecido refleja de manera elocuente su sufrimiento por los caprichosos vaivenes del destino. Es Mike Umlaut, que medita con tristeza mientras prepara piña colada bajo la mirada de su jefe, el señor Ectopic.

UMLAUT: Los santos me amparen. Que yo, Mike Umlaut, tiempo atrás rutilante presidente de una fábrica de sueños, que absorbía beneficios como una máquina tragaperras, tenga que rebajarme ahora a repartir bebidas tropicales para mantener caliente mi estufa...

ECTOPIC: Muévete, Umlaut. Hay un cliente que pide a gritos un perrito caliente.

UMLAUT: Enseguida, jefe. Estoy cortando una papaya de manera que conserve su saludable contenido vitamínico. *(Para sí, mientras va a por un perrito caliente para un insistente niño de ocho años:)* Resulta irónico que yo, que empecé mi carrera comerciando con vituallas, acabe de modo parecido.

La cámara tiembla y, en un fundido, nos remontamos al primer empleo de Umlaut como camarero en el plató de Donde los castores temen pisar, *una epopeya rodada en un solar cerca de la Paramount. Hacemos un travelling hasta la mesa de catering, donde descubrimos a Harry Eppis, el productor, reflexionando ante el surtido de refrigerios.*

EPPIS *(a Moribund, su factótum):* ¿Y ahora qué hago? Aquí estoy, con un retraso de dos años sobre el plazo previsto en un rodaje de ocho semanas, y mi actor principal, Roy Reflux, ha sido detenido por frotamiento lujurioso en una tienda Gap. La verdad, no me extraña que mi úlcera sea ya del tamaño de una tortita... Oiga, desdichado camarero, un café solo y una pasta de canela.

MORIBUND: Tendrá que rodar sin él, Harry. Al menos hasta que salga en libertad bajo fianza. Esto añadirá numerosos ceros a nuestro presupuesto, pero usted ya sabía que Reflux era un elemento de cuidado cuando firmó el contrato.

UMLAUT: Disculpe mi atrevimiento, caballero, pero no he podido evitar oír cómo se lamentaba. ¿Por qué no elimina su papel con un cambio en el guión?

EPPIS: ¿Cómo? ¿Quién ha dicho eso? ¿Me engañan las cócleas o ha sido el vil proveedor de bollos?

UMLAUT: Piénselo, caballero. Su personaje, aunque tiene gracia, no constituye el eje central de la historia. Unos cuantos latigazos en la espalda, y el guionista enmendará el texto con la astucia necesaria para librarlo definitivamente de Reflux, ese cazo de gachas a quien, si algún valor damos a la opinión de *Variety*, paga usted con excesiva generosidad.

EPPIS: Seguro que está en lo cierto. Este gusano de poca monta acaba de apartarme el velo de los ojos. Tienes una buena sesera, granuja, y obviamente tus alcances van más allá de los bollos.

UMLAUT: A propósito, si tiene una úlcera, yo que usted no me tomaría el café ni la pasta de canela. Lo uno rebosa cafeína y lo otro contiene una especia un tanto fuerte. ¿Por qué no me permite que le

101

prepare unos *oeufs* en tándem, más inocuos para su estómago?

EPPIS: ¿Es que la visión de este hombre del Renacimiento no tiene límite? Hay un puesto para un mequetrefe como tú en la oficina central. A partir de ahora serás el responsable de todas las películas de Bubonic Studios.

Fundido al estreno de una película en el Grauman's Chinese Theatre. Las palabras «UN AÑO DESPUÉS» aparecen superpuestas sobre la destellante y ostentosa multitud que abarrota el vestíbulo. Una mezcla de magnates y superestrellas intercambian trolas con agentes, directores y despampanantes starlets. La cámara desciende desde la araña de luces, al estilo Hitchcock, hasta mostrar un primer plano de las manos temblorosas de Mike Umlaut mientras conversa en voz baja con su agente recién contratado, Jasper Nutmeat.

NUTMEAT: Tranquilo, hombre. Nunca te había visto tan tenso.

UMLAUT: ¿Tú no lo estarías, Nutmeat? Es la primera película que produzco. Si *No te fíes de un endocrinólogo pálido* no tiene éxito, estoy acabado. Cincuenta millones de dólares succionados de las arcas del estudio y depositados a perpetuidad en el inodoro.

NUTMEAT: Tienes que seguir tu instinto, hombre. El olfato te decía que América está preparada para una película sobre el proceso de fundición.

UMLAUT: Me he jugado el futuro con ella. Pero ¿qué le voy a hacer, Nutmeat? Yo soy un soñador.

Una voz aterciopelada interrumpe las divagaciones de Umlaut.

PAULA: Y yo soy la que quisiera hacer realidad tus sueños.

Umlaut se vuelve bruscamente y, tras un corte, la cámara enfoca a una aparición rubia de poco más de veinte años, a todas luces recién descendida del Olimpo vía la Mansión Playboy de Hugh Hefner.

UMLAUT: ¿Cómo? ¿Y tú quién eres, fortuita acumulación de protoplasma?

PAULA: Paula Pessary. De momento soy sólo una *starlet,* pero con una pequeña oportunidad podría abrir brecha en los corazones de una considerable muestra demográfica.

UMLAUT: Y yo me encargaré de que tengas esa ocasión tan codiciada.

PAULA *(acariciándole la mejilla):* Soy experta en el arte de la gratitud, ya lo verás.

La pajarita del esmoquin de Umlaut empieza a girar como una hélice.

UMLAUT: Pienso casarme contigo y convertirte en la estrella más luminosa del firmamento, e incluyo el Can Mayor, esa que tiene forma de perro.

PAULA: ¿Casarse Mike Umlaut? Todo el mundo sabe que, como el nuevo Thalberg de Hollywood que eres, cada noche estás en las discotecas escoltando siempre a una gacela distinta.

UMLAUT: Eso ha sido hasta hoy. Esta noche la tierra ha temblado.

NUTMEAT *(se acerca a todo correr):* Han llegado las críticas. La película está arrasando. ¡No tendrás que devolver una sola llamada más!

Tras un corte, toma de exteriores de Bubonic Studios. Otro corte, y dentro se ve al nuevo mandamás, Mike Umlaut. Está sentado en su despacho, con las paredes salpicadas de Warhols y Stellas, además de algún que otro Fra Angélico para reflejar la amplitud de su buen gusto. Se lo ve rodeado de un gran número de esbirros y currantes. Está presente Nutmeat, ahora vicepresidente, junto con Arvide Mite y Tobias Gelding, dos ubicuos agentes de los estudios. Travelling sobre Umlaut gritándole órdenes a su agobiada secretaria, la señorita Onus.

UMLAUT: Telefonea a Wolfram Ficus y dile que le mando el guión de *La gripe de las gallinas,* bueno, no recuerdo exactamente el título. Dile que lea el papel de Yount, el farmacéutico. Y prepara mi Gulfstream privado; hay un preestreno de *El embalsamador remiso* en Seattle. Que el avión baje por Rodeo Drive y me recoja delante del Spago después del almuerzo.

GELDING: M.U., han llegado las cifras del fin de semana. *Gerbos y gitanos* ha batido todos los récords en la historia del music hall.

MITE: También *El aprendiz de torero discapacitado.* Todo lo que tocas se convierte en platino.

UMLAUT: Decidme, chicos, ¿alguno de vosotros ha leído el *Gilgamesh?*

Asienten con entusiasmo.

NUTMEAT: ¿La Biblia babilónica? Claro, varias veces, ¿por qué?

UMLAUT: Sólo diré una palabra: musical.

NUTMEAT *(en tono reverencial):* Sólo tú. Sólo tú...

Paula Pessary, ahora señora Umlaut, entra enfundada en un ajustado vestido de Versace que reboza sus voluptuosos contornos como el pan rallado una croqueta.

PAULA: Han llegado las reseñas promocionales de *Peristalsis inversa*. Me presentan como la Garbo de esta generación, y a ti como el perturbador Svengali que mueve los hilos.

Umlaut saca una diadema del bolsillo y se la ciñe a Paula en la cabeza. Se besan.

GELDING: ¿Verdad que el amor es maravilloso? Mirad a esta feliz parejita. Mientras las inundaciones y la hambruna se propagan por buena parte de la canica azul, a éstos todo les va como la seda, sin más sostén que la devoción y unos grandes beneficios.

Fundido al plató de una película que se rueda en Coonabarabran. El director, Lippo Sheigitz, despotrica contra Umlaut.

SHEIGITZ: ¡Tú! ¡Bestia ignorante! ¡Se suponía que ésta era mi película! ¡Me prometiste el control artístico absoluto!

UMLAUT: ¿Qué más da? ¡Si apenas hemos cambiado unas frasecitas!

SHEIGITZ: ¿Unas frasecitas? Ahora el violonista ciego pertenece a las fuerzas especiales de la Armada?

UMLAUT: Eso le da un poco de vidilla. Mira, Sheigitz, tú sabes bien que no soy como esos ejecutivos pasivos que se dedican sólo a la aritmética. Soy un hombre creativo, uno de esos que se remangan. Por cierto, olvídate de Mozart, he decidido que la banda sonora será música rock. Se la he encargado al grupo Epicac.

SHEIGITZ *(atacando a Umlaut con un azadón de utilla-*
je): ¡Te descuartizaré, pedazo de adoquín, meto-
mentodo!

Irrumpen unos guardias y se llevan a Sheigitz.

NUTMEAT: No te preocupes, M.U. Será sustituido *tut-*
suit por un tejedor de sueños más maleable. En la
ciudad los hay a patadas. ¿A qué vienen esos pu-
cheros? Ni te inmutes por ese sucedáneo de autor.

UMLAUT: No es eso. Es por Paula, mi mujer.

NUTMEAT: Ah, ya, ¿y qué pasa, M.U.?

UMLAUT: Tiene un lío con su coprotagonista, Aga-
memnon Wurst. ¿Y cómo reprochárselo? Adicto
al trabajo como soy, hice la vista gorda cuando se
marchó a París a rodar una película con el número uno de taquilla en Estados Unidos. La película acabó hace dos años, y siguen en el lugar del
rodaje. No hace falta ser muy listo para sumar dos
y dos.

NUTMEAT: ¿Esa acémila? Podrías arruinar su carrera con
una sola llamada.

UMLAUT: No, prefiero el juego limpio. Les he deseado
buena suerte. Es curioso, hace tiempo nos juramos
amor eterno y ahora no me diría ni dónde esconde las llaves del coche.

Tras un corte, vemos aterrizar un helicóptero, y Arvide Mite
corre hacia Umlaut.

MITE: ¡Qué cifras! ¡Qué números tan extraordinarios!
El remake de *Amor a la olla* es un exitazo. M.U., serías capaz de filmar el listín telefónico de Los Ángeles y convertirlo en un filón.

NUTMEAT: M.U., tienes mirada de loco. Nunca había visto esa expresión en ti. Y, además, te veo una extraña mueca a lo Jekyll y Hyde. Ruego a Dios que no te hayas fijado objetivos inalcanzables.

Inciso musical. Fundido a seis meses más tarde. Finca de Umlaut en Holmby Hills. Como en su despacho, las paredes están cubiertas de Rauchenbergs y Johnses, con unos cuantos Vermeers aquí y allá para aligerar la modernidad. Nutmeat consuela a Umlaut mientras media docena de hombres de una empresa de mudanzas retiran los cuadros y ejecutan el embargo de todas sus propiedades por impago.

NUTMEAT: ¿No te dije yo que no te lo tomaras tan a pecho? ¿No te aleccioné hasta la saciedad para prevenirte contra la ambición desmedida, poniéndote como ejemplo a Ícaro?

UMLAUT: Sí, pero...

NUTMEAT: No hay peros que valgan. Arvide Mite recurría a la hipérbole cuando dijo que podías convertir el listín telefónico en un éxito de taquilla. Sólo un idiota o un megalómano habría aceptado el reto. Y menos aún con las Páginas Amarillas.

UMLAUT: ¿Qué he hecho?

NUTMEAT: Lo que has hecho es aprobar un presupuesto sin precedentes, doscientos millones de pavos, y fabricar un crep de hormigón que no tiene salida ni por asomo. Me temo que no puedes echar en cara al consejo de dirección de Amalgamated Sushi que te aparte del cargo. Ese conglomerado japonés va a tener que vender mucho pez limón para acabar el año sin pérdidas.

Cuando sacan los últimos muebles de Umlaut, unos algua-
ciles lo llevan en volandas al callejón de servicio mientras
una familia de beduinos echa el ancla en la finca. Fundido
de regreso al presente, donde encontramos a Umlaut afanán-
dose por atender un pedido de néctar de naranja para seis
albañiles impacientes. Un coche se detiene junto a la acera y
sale el abogado de Umlaut, Nestor Weakfish, agitando un
documento.

WEAKFISH: ¡Umlaut! ¡Umlaut, tu fiel jurisconsulto te
    trae noticias!

UMLAUT: Si es por la minuta, estoy a dos velas.

WEAKFISH: Déjate de tonterías. Todo va a pedir de boca.
    Nuestra apelación contra Amalgamated Sushi se
    ha alargado años, pero hemos ganado.

UMLAUT: ¿Quieres decir que los estudios no se oponen
    ya a mi cláusula blindada?

WEAKFISH: Exacto. Según lo estipulado en tu contra-
    to, rescindirlo les representa del orden de seiscien-
    tos millones de gambas. ¡Muchacho, eso sí es un
    pleno!

UMLAUT *(arrancándose el delantal):* ¡Soy rico! ¡Seiscien-
    tos millones! Puedo comprar toda esta cadena de
    tenderetes y despedir al señor Ectopic. ¡Puedo re-
    cuperar mi casa, mi avión, mis Vermeers!

WEAKFISH: Eh, un momento. Hemos vencido a un
    conglomerado del sushi. He dicho seiscientos
    millones de gambas..., estamos hablando de crus-
    táceos.

Weakfish hace señas mientras un camión frigorífico empie-
za a descargar el finiquito de Umlaut. Cuando Umlaut se

vuelve hacia Weakfish con un cuchillo de mondar, la cámara retrocede y se eleva con una grúa para verlo todo desde lo alto –un homenaje a la toma de los heridos de la Confederación en Lo que el viento se llevó– *mientras fundimos a negro.*

El rechazo

Cuando Borís Ivánovich abrió la carta y leyó su contenido, él y su mujer, Anna, palidecieron. Anunciaba que su hijo de tres años, Mischa, había sido rechazado en el mejor parvulario de Manhattan.

–Imposible –dijo Borís Ivánovich, consternado.

–No, no... Tiene que haber algún error –coincidió su mujer–. Al fin y al cabo, es un niño inteligente, amable y extrovertido, con un nivel lingüístico aceptable y facilidad con las ceras y el Señor Patata.

Borís Ivánovich había desconectado y se abismaba en sus pensamientos. ¿Cómo iba a mirar a la cara a sus compañeros de trabajo en Bear Stearns si el pequeño Mischa no había sido admitido en un centro preescolar de prestigio? Ya oía la voz burlona de Siminov:

«Tú no entiendes de estas cosas. Los contactos son importantes. Tiene que haber un intercambio de dinero. Eres un zoquete, Borís Ivánovich».

«No, no..., no es eso», se oyó protestar Borís Ivánovich. «Les unté la mano a todos, desde las maestras hasta los limpiacristales, y mi hijo no lo ha conseguido ni por ésas.»

«¿Le fue bien la entrevista?», preguntaría Siminov.

«Sí», contestaría Borís, «aunque tuvo ciertas dificultades al apilar los bloques...»

«Ummm... vacilante con los bloques», rezongaría Siminov con su habitual desdén. «Eso indica graves conflictos emocionales. ¿Quién va a querer a un zopenco incapaz de hacer un castillo?»

«Pero ¿por qué tengo siquiera que hablar de eso con Siminov?», pensó Borís Ivánovich. «Quizá ni se entere.»

Sin embargo, el lunes siguiente, cuando Borís Ivánovich entró en la oficina, no le cupo la menor duda de que todos lo sabían: había una liebre muerta en su escritorio. De inmediato apareció Siminov, su cara sombría y amenazadora.

–Te das cuenta, ¿no? –dijo Siminov–. El chico nunca será aceptado en una universidad decente. No de la Ivy League, eso desde luego.

–¿Sólo por esto, Dmitri Siminov? ¿El parvulario influirá en su formación universitaria?

–No me gusta dar nombres –contestó Siminov–, pero hace muchos años el conocido director de un banco de inversiones no consiguió plaza para su hijo en un parvulario muy distinguido. Por lo visto, se desató cierto escándalo en torno a la capacidad del niño para pintar con los dedos. El caso es que más tarde el crío, rechazado también en el colegio elegido por sus padres, se vio obligado a..., a...

–¿A qué? Cuéntamelo, Dmitri Siminov.

–Me limitaré a decir que cuando cumplió los cinco se vio obligado a estudiar en..., en un colegio público.

–Si es así, Dios no existe –declaró Borís Ivánovich.

–A los dieciocho años, sus antiguos compañeros accedieron todos a Yale o a Stanford –prosiguió Siminov–, pero ese pobre desdichado, por no disponer de un currículum como Dios manda, con referencias de un centro preescolar..., digamos..., digno, sólo fue admitido en una academia de barberos.

–¡Condenado a arreglar patillas! –exclamó Borís Ivánovich, imaginándose al pobre Mischa con bata blanca y afeitando a los ricos.

–Sin unos conocimientos sólidos en cuestiones como la decoración de magdalenas o el cajón de arena, el niño no estaba preparado para las crueldades que la vida le depararía –continuó Siminov–. Al final, tuvo que aceptar empleos cada vez más degradantes, hasta que acabó sisando a su jefe para mantener el vicio del alcohol. Por entonces era ya un borracho empedernido. Como no podía ser de otro modo, de la sisa pasó al robo, y acabó asesinando y descuartizando a su casera. Ya en el patíbulo, el chico lo atribuyó todo al rechazo del parvulario adecuado.

Esa noche Borís Ivánovich no pegó ojo. Se representó el centro preescolar inalcanzable del Upper East Side, con sus aulas alegres y luminosas. Imaginó a los niños de tres años con sus conjuntitos de Bonpoint cortando y pegando y tomándose luego un reconfortante tentempié: un vaso de zumo y quizás unas galletitas de queso o de chocolate. Si a Mischa podía negársele todo eso, la vida y la existencia entera carecían de sentido. Vio a su hijo, ya crecido, de pie ante el presidente de una prestigiosa empresa, que lo interrogaba para comprobar su bagaje en materia de animales y formas, cosas que teóricamente debía conocer a fondo.

–Bueno..., mmm... –decía Mischa, tembloroso–. Eso es un triángulo..., ah, no, un octógono. Y eso es un conejito... Perdón, un canguro.

–¿Y la letra de *El patio de mi casa*? –preguntaba el presidente–. En Smith Barney no hay un solo vicepresidente que no sepa cantarla.

–Para serle sincero, nunca llegué a dominarla –admitió el joven mientras su solicitud de empleo volaba a la papelera.

En los días posteriores al rechazo, Anna Ivánovich cayó en un estado de profunda apatía. Se peleó con la niñera y la acusó de cepillarle los dientes a Mischa de lado y no de arriba abajo. Dejó de comer con regularidad y fue a llorarle al psicólogo. «Debo de haber desobedecido los designios de Dios para que me castigue de esta manera», se lamentaba. «Mis pecados deben de ser inconmensurables..., demasiados zapatos de Prada.» Imaginó que un lujoso autobús de la Hampton Jitney intentaba atropellarla, y cuando Armani le anuló la cuenta sin motivo aparente, se encerró en su habitación y se echó un amante. No fue fácil ocultárselo a Borís Ivánovich, ya que compartían el dormitorio y él no paraba de preguntarle quién era el hombre que se acostaba con ellos.

Cuando el panorama no podía pintar más negro, un abogado amigo, Shamsky, telefoneó a Borís Ivánovich y dijo que quedaba un rayo de esperanza. Propuso encontrarse en Le Cirque para comer. Borís Ivánovich llegó disfrazado, ya que el restaurante le había negado la entrada al conocerse la decisión del parvulario.

–Hay un hombre, un tal Fiodórovich –dijo Shamsky mientras se comía a cucharadas su ración de *crème brûlée*–. Puede conseguirte una segunda entrevista para tu vástago. A cambio, bastará con que lo mantengas al corriente, en secreto, de cualquier dato confidencial que permita prever subidas repentinas o caídas espectaculares en las acciones de determinadas empresas.

–Pero eso es tráfico de información privilegiada –repuso Borís Ivánovich.

–Sólo si uno es muy puntilloso con la ley federal –señaló Shamsky–. Por amor de Dios, está en juego la admisión en un parvulario exclusivo. Aunque tampoco vendría mal un donativo, claro. Nada demasiado ostentoso. Sé que buscan a alguien dispuesto a correr con los gastos de un nuevo anexo.

En ese momento un camarero reconoció a Borís Ivánovich detrás de su nariz falsa y su peluca. Enfurecido, el personal del restaurante se abalanzó sobre él y lo sacó a rastras por la puerta.

–¡Para que te enteres! –exclamó el *maître*–. Conque pensabas que nos engañarías, ¿eh? ¡Largo de aquí!

Ah, y en cuanto al futuro de tu hijo, siempre andamos necesitados de ayudantes de camarero. *Au revoir*, pelagatos.

Esa noche Borís Ivánovich dijo a su esposa que tendrían que vender la casa de Amagansett a fin de reunir dinero para un soborno.

–¿Cómo? ¿Nuestra querida casa de campo? –preguntó Anna, levantando la voz–. Mis hermanas y yo nos criamos allí. Gracias a una servidumbre de paso, podíamos llegar al mar a través de la finca del vecino. La servidumbre de paso cruzaba justo por la mesa de la cocina del vecino. Recuerdo que pasaba con mi familia entre tazones de Cheerios para ir a nadar y jugar en el mar.

Quiso el destino que, la mañana de la segunda entrevista de Mischa, su guppi muriera repentinamente. Sin el menor aviso, sin enfermedad previa. De hecho, hacía poco que el guppi había sido sometido a una revisión médica completa y, al parecer, gozaba de una salud de roble. Como es natural, el niño se sumió en el desconsuelo. En la entrevista no quiso siquiera tocar los Lego ni los Lite Brite. Cuando la maestra le preguntó la edad, contestó con aspereza: «¿Y eso a quién le importa, saco de grasa?». Fue rechazado una vez más.

Borís Ivánovich y Anna, caídos en la indigencia, fueron a vivir a un centro de acogida para los sin techo. Allí conocieron a otras muchas familias cuyos hijos no habían sido admitidos en colegios de élite. A veces compartían la comida con esa gente e intercambiaban anécdotas nostálgicas sobre aviones privados e inviernos en Mar-A-Lago. Borís Ivánovich descubrió espíritus aún más desventurados que él, personas sencillas a las que una comunidad de vecinos había rechazado por no disponer de patrimonio neto suficiente. Los afligidos rostros de todos ellos traslucían una gran belleza religiosa.

–Ahora creo en algo –le dijo un día a su mujer–. Creo que la vida tiene sentido y que todas las personas, ricas y pobres, morarán al final en la ciudad de Dios. Porque, desde luego, Manhattan se está volviendo inhabitable.

Cantad, Sacher Tortes

Desde el evanescente Hubert, cuyo Circo de las Pulgas encandiló a los ingenuos en la calle Cuarenta y Dos, la zona de Broadway no ha conocido a un sinvergüenza capaz de rivalizar con Fabian Wunch, proveedor de morralla sin par. Calvo, fumador de puros y más flemático que la Muralla China, Wunch es un productor de la vieja escuela que, físicamente, se parece no tanto al dramaturgo y empresario teatral David Belasco como al asesino «Kid Twist» Reles. Dada la contumacia con que ha producido sonoros fracasos, ha sido siempre un enigma del calibre de la teoría de cuerdas cómo consigue reunir dinero para cada nuevo holocausto teatral.

Así las cosas, estaba yo el otro día examinando un disco de Rusty Warren en Colony cuando de pronto, mientras un fornido brazo enfundado en un traje de Sy Syms se enroscaba en torno a mis omóplatos, a la vez que mi hipotálamo quedaba trastocado por la mareante mezcla del tufo a caliqueño y el aroma a lilas del *aftershave* Pinaud, sentí que el billetero se contraía instintivamente en mi bolsillo como un abulón en peligro de extinción.

–Vaya, vaya –dijo una voz áspera y familiar–, precisamente el hombre a quien yo quería ver.

Me contaba entre las personas legalmente incapacitadas por enajenación mental que habían invertido en varios de los proyectos infalibles de Wunch a lo largo de los años, siendo *El caso Beleño Negro* la última de sus propuestas, una crónica importada del West End sobre la invención y fabricación de la ducha regulable.

–¡Fabian! –exclamé con fingida cordialidad–. No hablábamos desde tu desagradable altercado con los críticos la noche del estreno. A menudo me pregunto si rociarlos con gas pimienta en realidad no empeoró las cosas.

–Aquí no puedo hablar –dijo furtivamente el simiesco empresario teatral–, no vaya a ser que algún tarado me oiga contarte una idea que con toda certeza metamorfoseará nuestros patrimonios netos a cifras a las que sólo los astrónomos encontrarían sentido. Conozco un pequeño restaurante en el Upper East Side. Invítame a comer y te concederé el privilegio de participar en un espectáculo que dará tales ganancias que, sólo con lo que generen las simples compañías itinerantes, los hijos de tus hijos vivirán rodeados de rubíes del tamaño del fruto del árbol del pan.

De haber sido yo un calamar, este preámbulo habría bastado para provocarme una eyaculación de tinta negra, y sin embargo, antes de que pudiera llamar a voces a la policía antidisturbios, me vi transportado, como quien cambia de escenario en la pantalla de una videoconsola, al otro lado de la ciudad, hasta un modesto restaurante francés donde, por la módica suma de doscientos cincuenta dólares el cubierto, uno podía comer igual que Iván Denisovich.

–He analizado todos los grandes musicales –explicó Wunch mientras pedía un Mouton del 51 y el menú de degustación–. ¿Y qué tienen en común? ¿A ver si lo adivinas?

–Una letra y una música extraordinarias –me aventuré a contestar.

–Pues claro, memo. Ésa es la parte fácil. Cuento con un genio aún por descubrir que compone canciones de éxito como los japoneses producen Toyotas. Ahora mismo el chico se gana la vida paseando perros, pero he tenido acceso a su obra, y es todo aquello que a Irving Berlin le habría gustado hacer si las cosas le hubieran ido de otra manera. No, la clave está en un gran libreto. Y ahí entro yo.

–No sabía que lo tuyo fuera la pluma y el papel –comenté mientras Wunch, succionando, vaciaba las conchas de sucesivos caracoles.

–Y volviendo a nuestro espectáculo... –prosiguió–. *Fun de Siècle...*, y *notez bien* el travieso juego de palabras: digo *fun*, «diversión», no *fin*. Es una alusión a Viena, donde transcurre la acción.

–¿La Viena contemporánea? –pregunté.

–No, bobo. Una época más antediluviana, con las titis en carruajes y vestidos al estilo *My Fair Lady* o *Gigi*, además de un sinfín de bohemios y bichos raros que cantan melodías de ayer y hoy por toda la Ringstrasse. Sólo Klimt, sólo Schiele, sólo Stefan Zweig, y

121

un paleto con bastante buena presencia que atiende al nombre de Oskar Kokoschka.

–Todos ilustres personajes –intervine cuando los carrillos de Wunch se tiñeron de color carmesí en homenaje a la región francesa de Burdeos.

–¿Y por qué hembra pierden el culo todos esos nombres de marca? –prosiguió–. ¿Cuál es el gancho romántico? Una bomba sexual de la ciudad llamada Alma Mahler. Habrás oído hablar de ella. Se los cepilló a todos: a Mahler, a Gropius, a Werfel... Tú di un nombre, y seguro que también se lo pasó por la piedra.

–Pues no sé...

–Pues yo sí lo sé. Es decir, claro que me tomo sutiles licencias con la narración. Si no, chaval, traeríamos al mundo un peñazo. También estoy modernizando el lenguaje. Como cuando Bruno Walter se encuentra con Wilhelm Furtwängler y dice: «Eh, Furtwängler, ¿irás a la barbacoa de Rilke el sábado por la noche?». Y Furtwängler contesta: «¿La barbacoa?», como si fuera evidente que no lo han invitado, y Walter va y dice: «Uy, perdona. Me da que debería haber mantenido cerrado este buzón que tengo por boca». ¿Me explico? El diálogo ha de tener un ritmo urbano actual.

Mientras Wunch acometía su *foie* a la sartén, empecé a sentir un progresivo entumecimiento en varias de mis vértebras clave y me aflojé la corbata en un esfuerzo por respirar.

–Así pues –continuó–, primero viene la obertura, que yo veo como algo ligero y pegadizo, pero en la escala dodecafónica, a modo de guiño a Schönberg.

–Pero, en buena lógica, habiendo tantos y tan hermosos valses de Strauss... –atajé.

–No seas bucéfalo –dijo Wunch con un gesto de desdén–. Eso lo reservamos para la apoteosis final, cuando el público se muera por un respiro después de dos horas de atonalidad.

–Ya, pero...

–Entonces se levanta el telón y se ven los decorados, todo estilo Bauhaus.

–¿Bauhaus?

–En el sentido de que la forma sigue a la función. De hecho, en la primera canción, Walter Gropius, Mies van der Rohe y Adolf Loos cantan «La forma sigue a la función», igual que *Guys and Dolls* empieza con *Fugue for Tinhorns*. Acaba la pieza, ¿y quién entra si no la propia Alma Mahler? Y con un vestido que la mismísima Jennifer Lopez descartaría por exiguo. Acompaña a Alma su marido compositor, Gustav. «Vamos, agonías», dice ella, «andando.» Y el frágil tonadillero contesta: «Sólo un *strudel* más. Necesito mantener alto el nivel de azúcar en la sangre para no sumirme en mi cotidiana obsesión por la mortalidad».

»Entretanto –se explayó Wunch–, resulta que Gropius le ha echado el ojo a Alma, cosa que a ella la pone, y canta "Cómo me gustaría tener a Gropius en la grupa". Acabada la primera escena, se apagan las luces y, cuando se encienden al principio de la segunda, ella vive con Gropius y lo engaña con Kokoschka.

–¿Y qué fue de Gustav, el marido? –inquirí.

–¿Y tú qué crees? Regodeándose en su cuelgue por

Alma, contempla el Danubio desde un puente, listo para saltar, cuando pasa por allí en bicicleta el mismísimo Alban Berg.

–¡No!

–«Eh, colega, no estarás pensando en tomar la vía del cobarde, ¿verdad?», pregunta. Mahler desahoga sus penas conyugales con él, y Berg le dice que tiene la solución idónea. Le habla de un tío con barba, uno que vive en el número diecinueve de Bergasse y que por unos pocos *pfennig* la hora..., que por alguna razón el gurú ha reducido a cincuenta minutos, no me preguntes por qué..., le puede reajustar la mollera.

–¿El diecinueve de Bergasse? Un momento. Mahler nunca fue paciente de Freud –protesté.

–Da igual. Lo presento como un tartamudo compulsivo, cosa que despierta la curiosidad de Freud. Un trauma infantil. Una vez Mahler vio ahogarse en nata montada al burgomaestre de la ciudad. Ahora lo revive. En el centro del escenario baja un diván, y Freud canta una extraordinaria pieza cómica, «Usted diga la primera gilipollez que le venga a la cabeza». Como es lógico, tratándose de Freud, todo son dobles sentidos, y hacemos una pequeña sátira de las convenciones vienesas, mostrando que incluso a un gran compositor de sinfonías como Mahler, inconscientemente, lo único que le pone son los corsés, la cerveza y el ragtime, pese a que se gana las habichuelas explotando lo sublime. Freud desbloquea a Mahler para que pueda componer otra vez y, gracias a ello, Mahler vence su arraigado miedo a la muerte.

–¿Y cómo vence Mahler su miedo a la muerte? –pregunté.

–Muriendo. He llegado a esa conclusión: no hay otra manera.

–Fabian, veo en eso ciertas lagunas. No explicas nada del bloqueo creativo de Mahler. Sólo has dicho que estaba abatido por la pérdida de Alma.

–Exacto –confirmó Wunch–. Por eso mismo le pone una demanda a Freud por negligencia profesional.

–Pero si está muerto, ¿cómo puede poner una demanda?

–Yo no he dicho que la historia no necesite pulirse, pero para eso están mis ayudantes Boston y Filadelfia. Bien, como te decía, Alma está liada con Kokoschka y se la pega a Gropius, con el que vivía. ¿Captas la ironía? Ella canta «Coqueteo con Kokoschka», pero los acordes menores de la música insinúan otra cosa. Además escribí una escena brutal en la que Gropius, en un café, acusa a Kokoschka de pintarrajear su edificio de oficinas recién construido. «Eh, Kokoschka», dice, «tú has embadurnado de un icor opaco mi último hito arquitectónico, las nuevas Torres Basura.» A lo que Kokoschka contesta: «Si a esas cajas de embalar las llamas arquitectura, pues sí, he sido yo». Encolerizado, Gropius le arroja su ración de *Tafelspitz* a Kokoschka, cegándolo por un instante, y exige una satisfacción.

–Un momento –dije–. Esos dos gigantes nunca se batieron en duelo.

–Tampoco se batirán en nuestra pequeña vaca lechera, porque justo en el último momento llega Werfel disfrazado de deshollinador, y Alma se marcha con él, dejando a los dos mozos con el corazón partido. Entonces ellos cantan lo que puede llegar a ser la pieza sarcástica más sofisticada en la historia de Broadway: «Mi preciosa Schnitzel, eres la Wurst». Fin del primer acto.

–No lo capto. ¿Por qué Werfel aparece disfrazado de deshollinador? Y sigo sin entender algo: ¿cómo es posible, si Mahler ha muerto, que Alma y él vuelvan a reunirse más adelante como ocurrió en la vida real?

Yo tenía un sinfín de perspicaces preguntas; más valía plantearlas en ese momento, antes de que un público de pago menos benevolente optase por repartir instrumental de destripamiento.

–Werfel tiene que camuflar su identidad –explicó Wunch– porque Kafka está en la ciudad y quiere que le devuelva la única copia de su nueva obra maestra, un relato que prestó a Werfel y que éste, a falta de confeti para un desfile, se vio obligado a triturar. En lo que se refiere a la reconciliación de Alma y Gustav, ella primero engaña a Werfel con Klimt, y luego traiciona a Klimt posando desnuda para Schiele.

–Pero...

–No me digas que eso no ocurrió. Todas esas titis en liguero que dibujó Schiele... ¿Por qué no podría ser Alma Mahler una de ellas? Pero da igual, porque, antes de que puedas decir «Francisco José», deja plantados a Schiele y a Klimt, y conforme nos acercamos a la mitad del segundo acto, la encontramos cohabitando nada más y nada menos que con su eminencia Ludwig Wittgenstein. Los dos cantan a dúo «Sobre aquello de lo que no podemos hablar debemos permanecer callados». Pero la cosa no prospera, porque cuando Alma dice «Te quiero» a Wittgenstein, él analiza sintácticamente la oración y rebate una por una la definición de cada palabra. El coro baila durante el nacimiento de la filosofía del lenguaje, y Alma, dolida pero con la libido intacta, entona a pleno pulmón: «Pálpame, Popper». Entra Karl Popper.

–¡Alto ahí! –dije, asaltado por la visión de un público huyendo en tropel por los pasillos como caribús en época de migración–. No me has explicado una cosa: ¿desde cuándo te dedicas a escribir guiones? Creía que te dabas por satisfecho con salir en los créditos como productor.

–Desde el accidente –contestó Wunch, llevándose meticulosamente la cuchara a la boca con las últimas moléculas de profiteroles–. Mi querida esposa y yo estábamos colgando un cuadro cuando ella intentó clavar un clavo en la pared: me dejó grogui con un martillo de punta redonda. Debí de estar fuera del mundo mis buenos diez minutos. Cuando desperté, descubrí que era capaz de escribir exactamente igual de bien que Chéjov o Pinter. Todas estas fantasías que te acabo de contar se me han ocurrido mientras me afeitaba. Oye, ¿ese que acaba de entrar no es Stevie Sondheim? Cuenta hasta cincuenta, y me tendrás de nuevo aquí. Quiero plantearle una idea antes de que vuelva a desaparecer. El pobre debe de estar haciéndose viejo. La última vez que me dio su número de teléfono faltaba un dígito. Ponte cómodo y te contaré con todo detalle la apoteosis de mi obra ante un Courvoisier.

Y dicho esto, se dirigió entre las mesas hacia un hombre que se parecía al autor del musical *A Little Night Music*. La última imagen que vi cuando me pinché el dedo y firmé la cuenta con sangre del grupo O negativo fue la de Wunch en ademán de sentarse en un reservado, sin invitación previa, ante las protestas cacofónicas del abochornado ocupante. En lo que se refiere a mi apoyo a *Fun de Siècle,* en el mundo de las tablas existe la antigua superstición de que cualquier obra en la que Franz Kafka esparce arena por el escenario y ejecuta un número de claqué con zapatos de suela blanda entraña demasiado riesgo.

El sol no sale para todos

Este verano, los socios de un gimnasio neoyorquino bastante selecto se pusieron a cubierto cuando reverberó el retumbo que suele preceder a la separación de una falla mientras realizaban sus ejercicios matinales. No obstante, el temor a un terremoto pronto se disipó al descubrirse que la única separación se había producido en uno de mis hombros, que me había hecho picadillo cuando intentaba impresionar al bombón de ojos almendrados que hacía flexiones en la colchoneta contigua. Deseoso de captar su atención, me había propuesto levantar en dos tiempos una barra equivalente en peso a un par de Steinways cuando de pronto mi columna vertebral adoptó la forma de una banda de Möbius, y buena parte de mi cartílago se separó audiblemente. Emitiendo un sonido idéntico al grito de un hombre arrojado desde lo alto del edificio Chrysler, me sacaron de allí hecho un cuatro y tuve que quedarme en casa todo el mes de julio. Para aprovechar el reposo impuesto, busqué solaz en las grandes obras literarias, una lista obligatoria que tenía la intención de leer desde hacía unos cuarenta años. Eludiendo arbitrariamente a Tucídides, a los chicos Karamazov, los diálogos de Platón y las magdalenas de Proust, ataqué la *Divina Comedia* de Dante en formato bolsillo, esperando poder recrearme en retablos de pecadoras de trenzas negras, como recién salidas del catálogo de Victoria's Secret, que ondularan semidesnudas y envueltas en azufre y cadenas. Por desgracia, el autor, obsesionado con las grandes dudas, enseguida me arrancó del vaporoso sueño erótico, y me encontré deambulando por el averno, donde el personaje más lascivo que difundiera el color local era Virgilio. Dado que yo también tengo algo de poeta, me maravilló la brillantez con que Dante había estructurado este universo subterráneo con apenas unos cuantos desiertos para los malhechores de esta vida, reuniendo a cobardes y bellacos de diversa calaña, y asignando a cada uno su correspondiente nivel de eterno sufrimiento. Sólo al terminar el libro caí en la cuenta de que se había omitido toda mención específica a los contratistas de obras, y con la psique vibrando aún como unos platillos por el recuerdo de unas reformas emprendidas unos años antes, sucumbí sin remedio a la nostalgia.

Todo empezó con la adquisición de una pequeña casa de piedra rojiza en el Upper West Side de Manhattan. La señorita Wilpong, de la inmobiliaria Mengele, nos aseguró que era la mejor compra de nuestra vida, y todo por un módico precio, no mayor que el de un bombardero no detectable por radares. La vivienda, afirmaba, estaba «lista para ocupar», y quizá lo estuviera para los Juke, la famosa familia usada como modelo en los anales de criminología, o para una caravana de gitanos.

130

–Es todo un reto –dijo mi mujer, estableciendo el récord femenino de eufemismo en pista cubierta–. Será divertidísimo reformarla.

Esquivando unas tablas sueltas en el suelo, procuré no caer en el abatimiento y comparé su encanto con el de la abadía de Carfax.

–Imagina que tiramos esta pared y hacemos una gran cocina al estilo California –declamó mi costilla–. Hay espacio para un despacho, y cada niña dispondría de su propia habitación. Bastará con unas pequeñas obras de fontanería para tener baños independientes, y seguro que incluso podrás instalar esa sala de juegos que siempre has deseado, para aligerar tus momentos más filosóficos con una partidita en la máquina del millón.

Mientras mi querida esposa, en su megalomanía arquitectónica, daba rienda suelta a la fantasía, el billetero empezó a agitarse en mi bolsillo del pecho como una platija prendida del anzuelo. Al imaginar la dilapidación de todo cuanto había administrado cuidadosamente durante años de trabajo como redactor de panegíricos al servicio de la funeraria Schneerson Brothers, me vi en la necesidad de discrepar elevando la voz hasta el registro más alto del flautín.

–¿De verdad crees que necesitamos esta casa? –pregunté, rogando por que sus súbitos anhelos de propiedad remitiesen como un *petit mal.*

–Lo que más me gusta es que no tiene ascensor –ronroneó mi media naranja–. ¿Te das cuenta de lo bien que le irá a tu corazón subir y bajar esos cinco pisos?

131

A menos que recurriese al desfalco, los medios para afrontar esta nueva empresa no estaban a mi alcance, y tuve que hacer malabarismos para conseguir una hipoteca, ya que al principio los banqueros, escépticos, no quisieron saber nada de mí, pero luego se ablandaron al descubrir una laguna en las leyes contra la usura. El siguiente paso fue elegir a un contratista adecuado, y mientras llegaban los presupuestos no pude por menos de advertir que la mayoría de las cantidades indicadas eran más propias de la restauración del Taj Mahal. Al final, opté por un presupuesto sospechosamente sensato procedente de la oficina de un tal Max Arbogast, alias Chic Arbogast, alias Chanchull Arbogast: un ectomorfo pequeño y pálido con los ojos relucientes de un usurpador de minas en un western de los estudios Republic.

Cuando nos citamos en la casa, una voz interior me dijo que me encontraba ante alguien que, en efecto, sería capaz de volar una mina de plata mientras los ingenuos culíes se deslomaban dentro en lugar de reclamar sus salarios. Mi mujer, adobada por la untuosa química de Arbogast, era todo interés, y se apoyó en mí a la vez que sucumbía a su visión a lo Coleridge de las metamorfosis que podían operarse gracias al genio del contratista. Nuestros sueños, nos aseguró, se verían realizados en el plazo de seis meses, y ofreció a su primogénito como sacrificio humano si el presupuesto superaba al final al presupuesto inicial. Acoquinado ante tamaña profesionalidad, pregunté si sería posible dar prioridad a nuestro dormitorio y cuarto de baño para poder trasladarnos, liberándonos así de las exorbitantes cuentas del hotel Dilapidado, nuestro feudo provisional.

—No tiene ni que preguntarlo —repuso Arbogast al instante, extrayendo un documento de un maletín repleto de contratos para toda clase de transacciones concebibles, desde la venta de un automóvil Cord de segunda mano hasta la contratación de músicos callejeros—. Écheme un par de autógrafos aquí, y los detalles los resolveremos sobre la marcha.

Plantándome una pluma en la mano, la guió por las líneas de puntos de un documento con grandes apartados en blanco, cuya trascendencia, me aseguró, se revelaría más tarde acercando el papel a una llama.

Acto seguido tuvo lugar una vertiginosa ronda de firmas de cheques por parte de un servidor, para cerrar el trato y adquirir diversos materiales.

—Sesenta mil dólares me parece mucho para tornillos de anclaje —aullé.

—Sí, claro, pero luego usted no querrá que se detenga la obra mientras peinamos Gotham para encontrar uno.

Para sellar nuestra camaradería, nos estrechamos las manos y fuimos a tomar una copa al bar de la esquina, el Drinks «R» Us, donde Arbogast nos invitó a una mágnum de Dom Pérignon; lo malo es que cayó en la cuenta, una vez descorchada, de que la TWA le había extraviado el equipaje y, en el preciso momento en que brindábamos, su billetero languidecía en Zanzíbar.

Empecé a tomar conciencia de que habíamos puesto nuestro destino en manos de cenutrios de la peor especie tres meses más tarde, cuando, horas después de tomar posesión de nuestro domicilio en construcción, intenté usar la ducha. En atención a nuestra súplica de rapidez, los mirmidones de Arbogast habían desintegrado en protones el cuarto de baño original y fabricado apresuradamente un sustituto. Tomando como modelo la larga brecha en el casco del *Titanic,* habían decorado y transformado todo el cuarto de baño en un reino submarino, para cuando mi mujer o yo tratáramos de abrir el grifo. Para remate, las tuberías habían sido calibradas meticulosamente con el fin de producir una presión de agua de intensidad calórica tal que el desdichado situado bajo la alcachofa quedase reducido al estado de una langosta thermidor. Cuando, entre alaridos, de un brinco superé la mampara de cristal cilindrado de la ducha, se me aseguró en varias lenguas bálticas que todo se rectificaría con la prevista llegada, desde Tánger, de una pieza de fontanería último modelo, cosa que sucedería en cuanto ciertos exiliados políticos pudiesen salir clandestinamente de la kasbah.

En contraste, el dormitorio no cumplió nuestro acelerado plazo de realización debido a un brote de dengue en Machu Picchu. Por lo visto, no podía iniciarse en serio el trabajo en nuestros aposentos hasta que se recibiesen unos cargamentos vitales de *wengé* y *bulinga* que, no se sabía muy bien cómo, habían sido entregados por error a una pareja de Laponia con nuestro mismo apellido. Por suerte, colocaron un tosco catre en el suelo, bajo unos desconchones de escayola, y después de una noche atormentado por el polvo de amianto y los rugidos del Huracán Inés procedentes de un inodoro cuya cisterna perdía agua, me sumí en un trance hipnagógico. Éste se vio interrumpido al despuntar el día por un batallón de artesanos que, al son de la *Balada de Casey Jones,* venían a demoler una pilastra con sus picos.

Cuando observé que esta alteración en particular no constaba en el proyecto original, Arbogast –que había asomado la cabeza por allí para cerciorarse de que ninguno de sus subalternos había sido secuestrado la noche anterior en alguno de los antros en los que abrevaban al acabar la jornada– explicó que se le había ocurrido instalar un complejo sistema de seguridad.

–¿Seguridad? –pregunté, y en ese momento caí en la cuenta de que era más vulnerable en una casa de piedra rojiza que en el antiguo vecindario, donde afables porteros de cabello blanco se embolsaban espléndidas propinas por recibir un balazo en lugar de los vecinos.

–De todas todas –repuso mientras devoraba su ración matutina de esturión llegado directamente de las cámaras numeradas de Barney Greengrass en Ginebra–. Cualquier asesino en serie puede entrar aquí sin mayor problema. ¿Acaso quiere que lo degüellen mientras duerme? ¿O que a su mujercita le desparrame los sesos con un martillo de punta redonda algún resentido contra la sociedad? Y eso será después de divertirse con ella.

—¿De verdad cree usted...?

—No es que lo crea yo, buen hombre, es que esta ciudad está plagada de diabólicos polvorines mentales.

Dicho esto, añadió otros noventa mil dólares al presupuesto, que ya alcanzaba el volumen del Talmud a la par que competía con él en cuanto a posibles interpretaciones.

Para que los albañiles no me considerasen un blanco fácil y empezasen a cruzar sonrisas de complicidad a mi costa, insistí en que, antes de dar el visto bueno a cualquier nuevo coste, tendría que estudiar los matices de la relación riesgo-recompensa, una fórmula que yo dominaba tan bien como la mecánica cuántica. Dado que varios paquetes de acciones al alza habían desaparecido sin dejar rastro en el Triángulo de las Bermudas, por fin dije al capataz de la obra que no aflojaría un solo centavo más por un sistema de alarma antirrobo, pero cuando llegó la noche, me quedé paralizado en la cama oyendo lo que, concluí, era un maniaco homicida desatornillando la puerta de entrada. Con el corazón resonando como el bombardeo de Dresde, llamé a Arbogast por teléfono y le di luz verde para que instalara un juego de carísimos detectores de movimiento tibetanos de alta tecnología.

Conforme transcurrían los meses, la fecha de finalización de la obra, ya aplazada media docena de veces, seguía alejándose como un pack de seis cervezas en el desierto. Las coartadas se sucedían hasta el infinito como en *Las mil y una noches*. Varios enlucidores contrajeron el mal de las vacas locas y después el barco que transportaba las cajas de jade y lapislázuli para revestir la habitación de la niñera naufragó frente a la costa de Auckland a causa de un tsunami; por último, un vital dispositivo motorizado, imprescindible para levantar el televisor de un baúl colocado a los pies de la cama, sólo podían fabricarlo artesanalmente unos duendes que trabajaban únicamente a la luz de la luna. La cantidad microscópica de trabajo que sí se realizaba era una calamidad, como tuve ocasión de comprobar en medio de un animado intercambio entre un aspirante al Nobel y yo en nuestro flamante despacho, en el curso del cual cedió el suelo, lo que al potencial laureado le costó dos incisivos y a mí me brindó el honor de financiar una indemnización récord.

Cuando planteé abiertamente mi desencanto a Arbogast por los incrementos en el presupuesto inicial, comparables a la inflación alemana de los años veinte, lo achacó a «mi exigencia psicótica de cambios».

–Relájese, amigo –dijo–. Si deja de tergiversar, Arbogast y Cía. será historia dentro de cuatro semanas. Se lo juro por Dios.

–Pues eso espero –repliqué furioso–. No puedo convivir ni un segundo más con esta plaga prehistórica procedente de Stonehenge. No tengo la menor intimidad. Precisamente ayer, tras conseguir por fin cierto espacio vital, estaba a punto de consumar el acto sagrado del amor con el gran y único profiterol de mi vida, cuando sus obreros me agarraron y me trasladaron para colgar un aplique.

–¿Ve esto? –preguntó Arbogast, desplegando la sonrisa que suelen emplear los hombres a punto de cometer fraude por correo–. Se llama Xanax. Eche mano, aunque yo no tomaría más de treinta al día. Los estudios sobre los efectos secundarios no han sido concluyentes.

Esa noche, cuando un leve crujido activó el detector de movimiento de la planta baja, me levanté de la cama de un brinco y me quedé inclinado como una lancha que surca las olas a toda velocidad. Convencido de que distinguía los sonidos de un licántropo en plena salivación subiendo a saltos por la escalera, busqué entre las cajas sin desembalar algún objeto de plata con el que defender a mi familia. Presa del pánico, pisé las gafas y, acto seguido, choqué de cara contra un delfín de pórfido que Arbogast había importado para completar el baño de la criada. A causa del golpe, me zumbó el oído medio como si hubiesen golpeado junto a mi oreja un inmenso gong, y fui además recompensado con una vista panorámica de la aurora boreal. Creo que fue entonces cuando el techo se desplomó sobre mi esposa. Al parecer, la pilastra que Arbogast había eliminado para instalar el sistema de seguridad era un elemento de carga, y una serie de bloques de hormigón habían elegido ese momento para abdicar.

A la mañana siguiente me encontraron acurrucado en el suelo sollozando rítmicamente. A mi esposa se la llevó una mujer ataviada con un traje austero y un sombrero de hombre, a la que mi mujer le repetía una y otra vez algo así como que siempre había dependido de la amabilidad de los desconocidos. Al final, vendimos la casa por cuatro perras, y, encima, ninguna de ellas tenía pedigrí. Ahora bien, de lo que sí me acuerdo es de las caras de los inspectores de obras, y de la mezcla de celo y consternación con que enumeraron mis numerosas infracciones, que, según ellos, podían rectificarse mediante más obras o aceptando una inyección letal. También conservo el vago recuerdo de haber comparecido ante un juez que, mirándome ceñudo como un cardenal de El Greco, me impuso una multa del orden de muchos ceros, por lo que mi patrimonio neto desapareció como el salmón ahumado en el piscolabis que sigue a una ceremonia de circuncisión. En cuanto a Arbogast, cuenta la leyenda que, durante unas reformas, mientras intentaba apropiarse de una cara repisa de chimenea georgiana y sustituirla por una copia de cerámica, se las ingenió para quedarse atrapado en el tiro. Ignoro si al final fue consumido por las llamas. Lo busqué en el *Inferno* de Dante, pero imagino que esos clásicos no se actualizan.

Atención, genios:
pagos sólo al contado

El verano pasado, mientras corría por la Quinta Avenida como parte de un programa de *fitness* concebido para reducir mi esperanza de vida a la de un minero del siglo XIX, me detuve en la terraza de la cafetería del hotel Stanhope para tonificar mi desfalleciente aparato respiratorio con alguna bebida. Como la dieta prescrita incluía el zumo de naranja, me pimplé varias rondas de vodka con naranja y, al levantarme, conseguí ejecutar una serie de movimientos coribánticos, no muy distintos de los de Bambi al dar sus primeros pasos.

A través de una corteza cerebral generosamente marinada por la gente de Smirnoff se abrió paso el vago recuerdo de que me había comprometido a recoger unos pastelitos de queso de cabra y bizcocho holandés de camino a casa, así que, aturdido, entré a trompicones en el Metropolitan Museum, confundiéndolo con Zabar's. Mientras me tambaleaba por los pasillos, con la cabeza dándome vueltas como un zoótropo, recobré la lucidez suficiente como para caer en la cuenta de que estaba viendo una exposición: «De Cézanne a Van Gogh: la colección del doctor Gachet».

Gachet, supe por el texto en la pared, fue un médico que trató a personajes como Pissarro y Van Gogh cuando estos chicos, tras ingerir un anca de rana no del todo en su punto o echarse al cuerpo demasiada absenta, se sentían indispuestos. Como aún no gozaban de reconocimiento y no podían pagar un ochavo, propusieron a Gachet saldar cuentas con un óleo o un pastel a cambio de una visita a domicilio o una dosis de mercurio para la sífilis. Gachet demostró una gran visión de futuro al aceptar, y mientras me deleitaba en medio de la aglomeración de Renoirs y Cézannes, salidos supuestamente de las paredes de su sala de espera, no pude por menos que imaginarme en una situación parecida.

1 de noviembre. ¡Quelle buena suerte! Ni más ni menos que Noah Untermensch, un genio entre los psicoanalistas, especializado en los problemas de la mente creativa, me ha derivado hoy un paciente a mí, el doctor Skizix Feebleman. Untermensch ha reunido una prestigiosa clientela del mundo del espectáculo sólo comparable a la «Lista de Artistas Disponibles» de la agencia William Morris.

—Este chico, Pepkin, es letrista —me ha explicado el doctor Untermensch por teléfono, preparando el terreno para una entrevista con el potencial paciente—. Es un Jerry Kern o un Cole Porter, pero en moderno. Su problema es que vive sumido en una culpabilidad debilitadora. ¿Qué podría yo decirte así a bote pronto? Para mí que es un conflicto con la madre. Examínale la sesera durante una temporada y quítale un poco de angustia. No lo lamentarás. Presiento Tonys, Oscars, Grammys, y quizás incluso la Medalla de la Libertad.

He preguntado a Untermensch por qué no trataba a Pepkin él mismo.

–Tengo la agenda llena –se ha apresurado a contestar–, y todas son urgencias psicoanalíticas. Una actriz cuya comunidad de vecinos no acepta perros, un hombre del tiempo al que le ha dado por hacer piragüismo en los charcos, además de un productor que no consigue que Mike Eisner le devuelva las llamadas. A éste lo tengo bajo vigilancia por riesgo de suicidio. En cualquier caso, haz lo que puedas, y no es necesario que me mantengas informado de su evolución. Tienes total libertad con el montaje final, ja, ja.

3 de noviembre. Hoy he conocido a Murray Pepkin. No cabe duda: lleva la palabra «artista» escrita en la frente. Con el pelo tupido y ojos como hipnodiscos, es esa clase de hombre espiritual, obsesionado con su trabajo, y a la vez agobiado por necesidades insignificantes tales como la comida, el alquiler y dos pensiones alimenticias. Como compositor, Pepkin se me antoja un visionario que ha optado por crear y perfeccionar sus líricas obras en una habitación de Queens, encima de FLEISHER BROTHERS, EMBALSAMADORES DE CALIDAD, donde a veces colabora como asesor de maquillaje. Le he preguntado por qué creía necesitar tratamiento psicoanalítico, y ha confesado que, si bien en realidad cada una de las notas y sílabas que escribe vibran de genuina grandeza, tiene la sensación de que es dema-

143

siado autocrítico. Reconoce sus implacables preferencias autodestructivas en cuestión de mujeres, y no hace mucho se casó con una actriz en una relación basada no tanto en la ética tradicional de Occidente como en el código de Hammurabi. Poco después se la encontró en la cama con el nutricionista de ambos. Discutieron, y ella le golpeó en la cabeza con su diccionario de rimas, por lo que Pepkin olvidó el verso que enlaza la rótula con la pelvis en el góspel *Huesos secos*.

Cuando le he planteado el tema de mis honorarios, Pepkin ha reconocido tímidamente que andaba un poco apurado, ya que había gastado sus últimos ahorros en un prensapatos. Se preguntaba si cabía la posibilidad de encontrar alguna fórmula de financiación a plazos. Cuando le he explicado que la obligación económica era esencial para el propio tratamiento, se le ha ocurrido la idea de pagar con canciones, señalando lo lucrativo que habría sido para mí, con el paso de los años, tener los derechos de *Begin the Beguine* o *Send in the Clowns*. No sólo llenaría a su debido tiempo mis arcas con los royalties de las partituras, sino que además el mundo entero me encomiaría por haber cuidado de un tonadillero novel a la altura de Gershwin, los Beatles o Marvin Hamlisch. Como hombre que siempre se ha enorgullecido de su buen ojo para el talento incipiente, y recordando la considerable recompensa que obtuvo un viejo homeópata francés llamado Cachet o Kashay por extenderle recetas a Van Gogh a cambio de algún que otro bodegón para financiar el coste de las espátulas de lengua, he aceptado de buena gana la propuesta de Pepkin. También he repasado mis propias obligaciones económicas, que en los últimos tiempos se han hinchado como un pulgar después de un golpe de martillo. Estaban el apartamento de Park Avenue, la casa de la playa en Quogue, los dos Ferraris, y Foxy Breitbart, un hábito caro que contraje una noche yendo de copas por los bares de solteros y cuya tonalidad de piel en tanga pone en mis labios una sonrisa que sólo puede alterarse con un cincel. Si a eso le sumamos una inversión demasiado arriesgada en guayabas libanesas, mi liquidez se halla un tanto coagulada. Sin embargo, una voz dentro de mí me dice que una inversión en esa apuesta que tengo despatarrada ante mí, con el potencial de un muelle comprimido al máximo, no sólo puede proporcionarme una renta anual, sino que, si algún día Hollywood decide contar su vida, quizás el papel de Skizix Feebleman se lleve la estatuilla al mejor actor secundario.

2 de mayo. Hoy se cumplen seis meses desde que empecé a tratar a Murray Pepkin, y si bien mi fe en su genio permanece intacta, debo decir que no supe ver la magnitud del trabajo que representaba. La semana pasada me telefoneó a las tres de la madrugada para contarme un largo sueño en el que Rodgers y Hart aparecían en su ventana en forma de loros y le enceraban el coche. Unos días después me envió un aviso al busca cuando estaba en la ópera y amenazó con quitarse la vida si no me reunía con él de inmediato en la marisquería Umberto y escuchaba su idea para un musical basado en el sistema decimal de Dewey. Lo soporté por deferencia a su talento, que por lo visto sólo yo reconozco. En el transcurso del último medio año me ha entregado un kilo de canciones, algunas compuestas apresuradamente en servilletas de papel, y aunque ninguna ha encontrado el apoyo de una discográfica, insiste en que en su día todas serán clásicos. Una de ellas es una canción ligerita titulada *Si tú eres mi puma en Yuma, yo seré tu picaflor en Nueva York.* Queda mejor con una voz suave, y está llena de ingeniosos dobles sentidos. *Es hora de mudarse,* en cambio, es una melodía triste, no muy distinta de la obra maestra irlandesa *Danny Boy.* Estoy de acuerdo con Pepkin en que sólo un tenor genial le haría justicia. Una hermosa canción de amor que, según me garantiza Pepkin, acabará entre los éxitos de ventas es *Este año mis labios llegarán tarde,* que incluye el agridulce verso: «Abrázame, deshónrame, pero no me borres de tu agenda de teléfonos». Como guinda en este encantador batiburrillo, Pepkin añadió *Los roedores tenaces,* que, sostiene él, es la clase de himno patriótico para levantar la moral con el que, en caso de guerra nuclear total, me forraría. Aun así, un dinerillo contante y sonante por mis esfuerzos hercúleos no me vendría nada mal, sobre todo por Foxy, con la que me he prometido en matrimonio, y que me ha estado lanzando inexorables insinuaciones sobre una prenda de invierno de cuerpo entero de la familia de la marta.

10 de junio. Atravieso ciertos problemas profesionales, cosa normal en un terapeuta de orientación práctica como yo, pero soportar un hematoma subdural del tamaño de una salchicha de Brunkhorst ya es demasiado. La otra noche, cuando dormía profundamente tras una ardua jornada de psicoanálisis, recibí una desesperada llamada de la mujer de Pepkin. Mientras hablábamos mantenía a Pepkin a distancia con un espray pimienta. Por lo visto, ella había hecho un comentario crítico sobre su nueva canción de amor *Y de guarnición, póngame un poco de pena, por favor,* diciendo que serviría para estrenar la nueva trituradora de papel. Consciente de cuáles serían los efectos en una modesta consulta como la mía si ella avisaba a la pasma y el nombre de Feebleman, resaltado en grandes letras, aparecía en los titulares de la prensa sensacionalista, salí en calzoncillos de mi apartamento a todo correr y crucé como un poseso el puente de la calle Cincuenta y Nueve. Cuando llegué a casa de los Pepkin, encontré al matrimonio fintando en torno a la mesa de la cocina, intentando ambos ganar la posición para asestar el golpe. Magda Pepkin sostenía un espray; Pepkin empuñaba un recuerdo que había recibido de regalo el Día del Bate en el estadio Shea.

Convencido de que la ocasión requería un tono firme, me interpuse entre los dos y me aclaré la garganta con gesto teatral en el preciso instante en que Pepkin acometía contra su esposa con el bate, rompiéndome a mí la crisma con el ruido de un magistral triple. Tambaleante, di un paso al frente, sonriendo sin motivo alguno ante la visión de lo que en mi imaginación identifiqué como Alfa Centauri, y recuerdo que me trasladaron al servicio de urgencias del hospital más cercano, donde se apresuraron a ingresarme en la Unidad de Apatía Intensiva.

En recompensa por lo que un colega llama «dedicación hipocrática apenas discernible del cretinismo», sigo en terreno resbaladizo. He acumulado más de cien canciones en lugar del menor indicio de papeles verdes y crujientes, y no he tenido mucha suerte al intentar venderlas. El hecho de que ni uno solo de los expertos en música que he visitado encontrara la más mínima molécula de futuro en un arrollador número de cabaret como *Dale caña a esas hormonas* o la sublime balada *Alzheimer precoz*, me ha despertado la fugaz sospecha de que quizá Pepkin no sea el próximo Irving Berlin. No obstante, en su cadenciosa pieza *En la panadería Yonah Schimmel estamos a la orden del día,* que es de mi propiedad y de la que tampoco puedo exprimir un solo centavo, el verso «Los deseos y los bollos sólo son para los pimpollos» me hace sonreír con triste ironía.

4 de noviembre. He llegado a la conclusión de que Pepkin es un zombi sin talento. Mi barca comenzó a hacer aguas cuando descubrí que una serie de refugios fiscales estructurados para maximizar mis ingresos había despertado el interés del fisco, por considerarlos curiosamente parecidos a los de Al Capone. Frotándose las manos con regocijo conforme los invalidaban uno por uno, los de Hacienda decidieron succionar mis bienes por un valor del orden de ocho veces mi patrimonio neto. Incapaz de inhalar ni una pizca de aire cuando esta noticia se abatió sobre mí en forma de citación, le expliqué a Pepkin, mientras unos alguaciles federales se llevaban mis muebles, que ya no podría seguir atendiéndolo por su cara bonita. Heridos sus sentimientos por esta petición de cierta cantidad de legítima moneda del reino, Pepkin dio por concluido su tratamiento y, por consejo de algún picapleitos con el que juega al billar, me demandó por negligencia profesional.

Incapaz de afrontar la repentina reducción y las privaciones que se le vinieron encima cuando Bergdorf's amputó su cuenta de crédito, Foxy Breitbart me cambió por un mequetrefe cuatro ojos y anoréxico, dueño de la patente de un chip de ordenador que lo ha catapultado, a los veinticinco años, siete puntos por encima del sultán de Brunei en cierta lista publicada por la revista *Forbes*. Por suerte, me quedaba un baúl lleno de partituras con títulos como *Las lombrices de la Toscana* y *El baile de los espeleólogos*. Intenté comercializar estas pequeñas joyas infrautilizadas, pero fue en vano, e incluso pregunté a cuánto ascendería su precio vendidos a peso a una fábrica de reciclaje de papel. Pero el golpe de gracia de Pepkin estaba aún por llegar, y llegó, en la persona de Wolf Silverglide. Silverglide, un hurón con traje de gabardina, había tenido ciertas visiones que le aconsejaron hacer un musical inspirado en *Lisístrata* llamado *Ahora no, me duele la cabeza*. Animada con canciones modernas, esta historia ática del tiempo de Maricastaña, que casualmente era de dominio público, nos convertiría, según Silverglide, en marajás. Se había enterado de que yo tenía en mi poder un cargamento de canciones inéditas que podía conseguir por poco dinero. Desempolvando por fin mis derechos de explotación, concedí a Silverglide opción de compra sobre un buen puñado de tonadas a cambio de unas acciones en ese proyecto y un televisor en blanco y negro de rancia solera, y así su obra empezó a producirse con música compuesta íntegramente por Murray Pepkin. La mejor pieza era una balada de amor titulada *La cursiva es mía,* que incluía los magníficos versos «Eres una mujer de fantasía, eres como una buena melodía, *te quiero* (la cursiva es mía)».

El musical fue acogido con críticas muy diversas. *El Mundo del Avicultor* lo encontró de su gusto, como también la *Revista del Puro.* Los diarios, junto con *Times* y *Newsweek,* expresaron mayores reservas: la opinión generalizada puede resumirse en el comentario de un crítico que lo describió como «un agujero negro de imbecilidad». Incapaz de analizar las reseñas y entresacar citas textuales que no sonasen a amenaza de muerte, Silverglide plegó su gran espectáculo igual que una tumbona y se largó de Nueva York a velocidad fotónica, dejando en mis manos una avalancha de pleitos por plagio.

Por lo visto, según testimonios periciales, las mejores piezas del maestro Pepkin se parecían una pizca demasiado a insignificancias como *Body and Soul, Stardust* e incluso a ese enardecedor himno militar que empieza: «Desde las salas de Moctezuma...». Entretanto, voy a diario al juzgado, y si bien da la impresión de que tengo la mirada perdida, en realidad estoy pensando que si alguna vez llego a tropezarme con ese Van Gogh aún no descubierto de la Sociedad de Compositores, Autores y Editores, echaré mano a una de mis últimas posesiones, una navaja trapera, y le rebanaré *las dos* orejas (la cursiva es mía).

Tirar demasiado de la cuerda

Es para mí un gran alivio saber que por fin el universo tiene explicación; empezaba a pensar que era yo. Pero resulta que la física, como un familiar irritante, tiene todas las respuestas. El big bang, los agujeros negros y el caldo primordial aparecen todos los martes en la sección de ciencias del *Times*, y gracias a eso mi comprensión de la teoría de la relatividad general y de la mecánica cuántica está ahora a la altura de la de Einstein, o sea, de Einstein Moomjy, el vendedor de alfombras. ¿Cómo he podido vivir hasta ahora ignorando que en el universo hay cosas pequeñas del tamaño de la «longitud de Planck», que miden una millonésima de una milmillonésima de una milmillonésima de una milmillonésima de centímetro? Si a ustedes se les cae una en un teatro a oscuras, imaginen lo difícil que sería encontrarla. ¿Y cómo actúa la gravedad? Y si de pronto dejara de actuar, ¿seguirían ciertos restaurantes exigiendo chaqueta? Lo que sí sé de física es que, para un hombre situado en una orilla, el tiempo pasa más deprisa que para un hombre que se halla en un barco, sobre todo si el hombre del barco va acompañado de su esposa. El último milagro de la física es la teoría de cuerdas, que ha sido anunciada como una TDT, una «Teoría de Todo». Ésta puede explicar incluso el incidente de la semana pasada que aquí describo.

El viernes desperté y, como el universo está en expansión, tardé más de lo habitual en encontrar mi bata. Por este motivo salí con retraso para ir al trabajo y, como el concepto de arriba y abajo es relativo, el ascensor en el que entré subió a la azotea, donde fue muy difícil parar un taxi. No olvidemos que un hombre que viajara en un cohete casi a la velocidad de la luz sin duda habría podido llegar a tiempo al trabajo, o quizás incluso un poco antes, y sin duda mejor vestido. Cuando por fin llegué a la oficina y fui hacia mi jefe, el señor Muchnik, para explicar la demora, mi masa aumentó conforme aceleraba para acercarme a él, lo que él interpretó como señal de insubordinación. Tras cruzar unas palabras enconadas, me aseguró que me descontaría ese tiempo del sueldo, que, en comparación con la velocidad de la luz, es de todos modos muy pequeño. La verdad es que si tomamos como referencia la cantidad de átomos de la galaxia Andrómeda, en realidad gano poquísimo. Intenté decírselo al señor Muchnik, quien me contestó que yo pasaba por alto que el tiempo y el espacio eran la misma cosa. Y juró que si esa situación cambiaba, me concedería un aumento. Señalé que si tenemos en cuenta que el tiempo y el espacio son una misma cosa, y que se tarda tres horas en hacer algo que resulta tener menos de quince centímetros de longitud, ese algo no puede venderse por más de cinco dólares. Lo bueno de que el espacio sea lo mismo que el tiempo es que, si viajas a los confines del universo y el trayecto dura tres mil años terrestres, cuando vuelvas tus amigos habrán muerto, pero no necesitarás Botox.

De vuelta en mi despacho, con la luz del sol entrando a raudales por la ventana, pensé que si de pronto estallaba nuestro gran astro dorado, este planeta saldría volando de la órbita y surcaría el infinito por los siglos de los siglos: otra buena razón para llevar siempre el móvil encima. Por otro lado, si algún día yo pudiera circular a una velocidad superior a trescientos mil kilómetros por segundo y volver a capturar la luz nacida hace siglos, ¿podría retroceder en el tiempo al antiguo Egipto o la Roma imperial? Pero ¿qué iba a hacer allí? Prácticamente no conocía a nadie. En ésas estaba cuando entró nuestra nueva secretaria, la señorita Lola Kelly. Pues bien, en la discusión sobre si todo está hecho de partículas o de ondas, para mí que la señorita Kelly está hecha de ondas. Salta a la vista que ondula cada vez que se acerca al surtidor de agua. Y no es que no tenga buenas partículas, pero son las ondas lo que le permite obtener esas fruslerías de Tiffany's. Mi esposa también es más de ondas que de partículas, sólo que sus ondas han empezado a colgar un poco. O quizás el problema es que mi esposa tiene demasiados quarks. La verdad es que, últimamente, al verla, uno diría que se ha acercado demasiado al horizonte de sucesos de un agujero negro y parte de ella —desde luego no toda ella ni mucho menos— ha sido absorbida. Eso le ha dado una forma un tanto extraña, que espero sea corregible mediante una fusión en frío.

155

Yo siempre he aconsejado a todo el mundo que se mantenga a distancia de los agujeros negros porque, una vez dentro, cuesta muchísimo salir y conservar a la vez el oído musical. Si, por casualidad, uno cae en un agujero negro, lo traspasa y sale por el otro lado, probablemente volverá a vivir su vida entera una y otra vez, pero quedará demasiado comprimido para salir y conocer a chicas.

Así pues, me acerqué al campo gravitacional de la señorita Kelly y sentí vibrar mis cuerdas. Sólo sabía que deseaba envolver sus gluones con mis bosones de gauge débil, introducirme por un agujero de gusano y pasar por un túnel cuántico. Fue entonces cuando me paralicé por el principio de incertidumbre de Heisenberg. ¿Cómo podía actuar si era incapaz de determinar su posición y velocidad exactas? ¿Y si de pronto yo provocaba una singularidad, es decir, una ruptura devastadora en el espacio y en el tiempo? Son tan ruidosas. Todo el mundo se volvería a mirar y yo me sentiría abochornado delante de la señorita Kelly. Pero es que la energía oscura de esa mujer atrae tanto. La energía oscura, aunque hipotética, siempre me ha puesto como una moto, sobre todo en una mujer con el mentón prominente. Concebí la fantasía de que, si lograba meterla en un acelerador de partículas durante cinco minutos con una botella de Château Lafite, me encontraría junto a ella con nuestros quantos aproximándose a la velocidad de la luz y su núcleo entrando en colisión con el mío. Naturalmente, en ese preciso momento noté que me entraba un trozo de antimateria en el ojo y tuve que buscar un bastoncillo para quitármelo. Casi había perdido toda esperanza cuando ella se volvió hacia mí y habló.

–Lo siento –dijo–. Me disponía a pedir café y una pasta, pero ahora mismo no recuerdo la ecuación de Schrödinger. Qué tontería, ¿no? Se me ha ido de la cabeza, así sin más.

–Cosas de la evolución de las ondas de probabilidad –sentencié–. Y si vas a la cafetería, ¿podrías traerme una magdalena con muones y té?

–Cómo no –respondió con una sonrisa coqueta mientras ella adoptaba una forma de Calabi-Yau.

Sentí que mi constante de acoplamiento invadía su campo débil mientras unía mis labios a sus húmedos neutrinos. Al parecer, alcancé una especie de fisión, porque de pronto me encontré levantándome del suelo con un morado en el ojo del tamaño de una supernova.

Supongo que la física puede explicarlo todo salvo el bello sexo, aunque le dije a mi mujer que el cardenal se debía a que el universo no se hallaba en expansión, sino que se contraía, y yo no estaba atento.

Por encima de la ley, por debajo del somier

Wilton's Creek está en el centro de las Grandes Llanuras, al norte de Shepherd's Grove, a la izquierda de Dobb's Point, y justo por encima del risco que forma la constante de Planck. La tierra es cultivable y se encuentra fundamentalmente en el suelo. Una vez al año, los vientos arremolinados procedentes del Kinna Hurrah azotan los vastos campos, alzando a los labradores mientras trabajan y depositándolos a cientos de kilómetros al sur, donde a veces se establecen y abren boutiques. Una gris mañana de un martes de junio, Comfort Tobias, el ama de llaves de los Washburn, entró en la casa de los Washburn, como había hecho a diario durante los últimos diecisiete años. El hecho de que la despidieran hace nueve años no le ha impedido ir a limpiar, y los Washburn la valoran más que nunca desde que dejaron de pagarle el salario. Antes de trabajar para los Washburn, Comfort Tobias susurraba a los caballos en un rancho de Texas, pero sufrió un colapso nervioso cuando un caballo, en respuesta, le susurró a ella. «Lo que más me sorprendió», recuerda, «es que sabía mi número de la Seguridad Social.»

Cuando Comfort Tobias entró en la casa de los Washburn aquel martes, la familia se había ido de vacaciones. (Viajaban de polizones en un crucero por las islas griegas, y si bien habían permanecido escondidos en toneles y sobrevivido sin comida ni agua durante tres semanas, los Washburn conseguían salir a hurtadillas a cubierta todas las noches a las tres para jugar al tejo.) Comfort subió al primer piso para cambiar una bombilla.

«A la señora Washburn le gustaba cambiar las bombillas todos los martes y viernes, fuera necesario o no», explicó. «Le encantaban las bombillas recién puestas. La ropa blanca sólo la cambiábamos una vez al año.»

En cuanto el ama de llaves entró en el dormitorio principal, supo que faltaba algo. Y entonces lo vio: ¡no daba crédito a sus ojos! Alguien había ido al colchón y cortado la etiqueta que reza: «La ley prohíbe retirar esta etiqueta a cualquier persona que no sea el usuario». Comfort se estremeció. Le flaquearon las piernas y sintió náuseas. Presintió que debía mirar en el cuarto de los niños, y efectivamente, también allí habían retirado las etiquetas de los colchones. Entonces se le heló la sangre al ver una enorme sombra cernirse amenazadoramente en la pared. El corazón se le aceleró y quiso gritar. Pero de pronto cayó en la cuenta de que la sombra era la suya y, tomando la firme resolución de ponerse a dieta, telefoneó a la policía.

«Nunca he visto nada igual», aseguró el *sheriff* Homer Pugh. «En Wilton's Creek estas cosas no pasan. Es cierto que en una ocasión alguien entró por la fuerza en la panadería y sorbió la mermelada de las ros-

160

quillas, pero a la tercera vez que pasó, teníamos tiradores de élite en el tejado y lo abatimos de un tiro en el acto.»

«Pero ¿por qué? ¿Por qué?», sollozó Bonnie Beale, una vecina de los Washburn. «Es absurdo, cruel. ¿En qué mundo vivimos? ¿Cómo es posible que corte las etiquetas de los colchones alguien que no es el usuario?»

«Antes de esto», afirmó Maude Figgins, la maestra del pueblo, «cuando salía, siempre dejaba los colchones en casa. Ahora, cada vez que me voy, ya sea para ir de compras o a cenar, me llevo mis colchones.»

A las doce de la noche de aquel mismo día, en la carretera de Amarillo, Texas, dos personas avanzaban a toda velocidad en un Ford rojo con matrícula falsa que de lejos parecía auténtica, pero de cerca saltaba a la vista que era de plastilina. El conductor llevaba un tatuaje en el antebrazo derecho donde se leía: «Paz, amor, decencia». Cuando se subió la manga izquierda, apareció otro tatuaje: «Fe de erratas: hagan caso omiso de mi antebrazo derecho».

A su lado iba una joven rubia que habría podido considerarse hermosa si no hubiese sido el vivo retrato del célebre Abe Vigoda. El conductor, Beau Stubbs, se había fugado en fecha reciente de San Quintín, donde había sido encarcelado por ensuciar la vía pública. Stubbs fue condenado por tirar el envoltorio de una chocolatina Snickers en la calle, y el juez, afirmando

161

que no había manifestado remordimientos, lo condenó a dos cadenas perpetuas consecutivas.

La mujer, Doxy Nash, había estado casada con el dueño de unas pompas fúnebres y trabajaba con él. Stubbs había entrado en su funeraria un buen día, sólo por curiosear. Cautivado, intentó coquetear con ella, pero estaba muy ocupada incinerando a alguien. Al poco tiempo, Stubbs y Doxy Nash empezaron a mantener relaciones en secreto, aunque ella no tardó en enterarse. A su marido Wilbur, el dueño de la funeraria, Stubbs le caía bien y se ofreció a enterrarlo gratis si accedía a ello ese mismo día. Stubbs lo dejó inconsciente de un puñetazo y se fugó con la mujer, no sin antes dejar en lugar de ésta una muñeca hinchable. Una noche, después de tres de los años más felices de su vida, Wilbur Nash empezó a sospechar cuando le pidió a su mujer más pollo y ella de pronto reventó y empezó a volar por la habitación en círculos cada vez menores hasta posarse en la alfombra.

Homer Pugh mide un metro setenta y cinco con los pies calzados, pero ni aun así es capaz de dar la talla. Pugh es policía desde que tiene memoria. Su padre fue un famoso atracador de bancos, y para Pugh la única manera de pasar un rato con él era deteniéndolo. Pugh prendió a su padre en nueve ocasiones; apreciaba mucho sus conversaciones, pese a que en su mayoría se desarrollaron mientras ambos cruzaban disparos.

Pregunté a Pugh cómo veía la situación.

–¿Mi teoría? –dijo Pugh–. Dos timadores que han salido a ver mundo. –Luego se puso a cantar *Moon River* mientras su mujer, Ann, servía copas, y a mí me cobraban cincuenta y seis dólares. Justo en ese momento sonó el teléfono, y Pugh se abalanzó sobre él. La voz al otro lado se oyó por toda la sala con una grave resonancia.

–¿Homer?

–¿Willard? –dijo Pugh. Era Willard Boggs, el agente Boggs de la policía estatal de Amarillo. La policía estatal de Amarillo son la *crème de la crème*, y sus miembros no sólo deben ser físicamente impresionantes, sino que han de aprobar un riguroso examen escrito. Boggs había suspendido el examen escrito dos veces, primero porque no fue capaz de explicar a Wittgenstein a entera satisfacción del sargento de guardia, después por equivocarse en su traducción de Ovidio. Una señal de la entrega de Boggs fue que tomó clases particulares, y su tesis final sobre Jane Austen se ha convertido en un clásico entre la policía motorizada que patrulla por las carreteras de Amarillo.

–Hemos echado el ojo a una pareja –dijo al comisario Pugh–. Se comportan de un modo muy sospechoso.

–¿Como por ejemplo? –preguntó Pugh, encendiendo un cigarrillo más. Pugh es consciente de los riesgos del tabaco para la salud y por eso sólo consume cigarrillos de chocolate. Cuando enciende la punta, el chocolate se le funde en el pantalón, lo que le supone

163

enormes facturas en la tintorería para el magro sueldo de un policía.

–La pareja entró en un buen restaurante de por aquí –prosiguió Boggs–. Pidió una gran barbacoa para cenar, con vino y toda la parafernalia. Les llegó una cuenta exorbitante e intentaron pagar con etiquetas de colchón.

–Detenedlos –dijo Pugh–. Traedlos, pero no le digáis a nadie de qué se les acusa. Decid que encajan con la descripción de dos personas que buscamos para interrogar por acariciar una gallina.

La ley estatal sobre la retirada de la etiqueta de un colchón ajeno se remonta a principios del siglo XX, cuando Asa Chones se enzarzó en un disputa con su vecino por causa de un cerdo que entró en el jardín del vecino. Los dos hombres discutieron acerca de la propiedad del cerdo durante varias horas, hasta que Chones cayó en la cuenta de que no era un cerdo, sino su esposa. El caso fue llevado ante los patriarcas del pueblo, quienes establecieron que la mujer de Chones tenía unas facciones lo bastante porcinas para justificar el error. En un arrebato de ira, Chones entró esa noche en la casa de su vecino y arrancó las etiquetas de todos los colchones. Fue detenido y juzgado. El colchón desprovisto de etiqueta, argumentaba el veredicto, «ofende la integridad del relleno».

Al principio Nash y Stubbs se declararon inocentes, afirmando ser un ventrílocuo y su marioneta. A las dos de la madrugada, los sospechosos había empezado a desmoronarse bajo el implacable interrogatorio de

Pugh, llevado a cabo astutamente en francés, idioma que no conocían y en el que, por tanto, no les era fácil mentir. A la postre, Stubbs confesó.

«Nos detuvimos delante de la casa de los Washburn a la luz de la luna», dijo. «Sabíamos que siempre dejaban la puerta de la casa abierta, pero la forzamos para no perder práctica. Doxy volvió contra la pared todas las fotos de la familia Washburn para que no hubiera testigos. Yo había oído hablar de los Washburn en la cárcel, a un tal Wade Mullaway, un asesino en serie que descuartizaba a sus víctimas y se las comía. Había trabajado como cocinero para los Washburn, pero éstos lo dejaron marchar cuando encontraron una nariz en el soufflé. Yo sabía que no sólo era ilegal, sino un pecado contra Dios retirar las etiquetas de los colchones si uno no era el usuario, pero no cesaba de oír esa voz que me empujaba a hacerlo. Si no me equivoco, era la del reportero Walter Cronkite. Yo corté la etiqueta del colchón de los Washburn; Doxy se ocupó de los colchones de los niños. Yo sudaba, se me nubló la vista, toda mi infancia desfiló ante mis ojos, luego la infancia de otro niño, y por último la infancia del nizam de Hyderabad.»

En el juicio, Stubbs decidió ocuparse él mismo de su defensa, pero un conflicto por la minuta provocó cierto resentimiento. Fui a ver a Beau Stubbs en el corredor de la muerte, donde varias apelaciones lo libraron de la horca durante una década, tiempo que dedicó a aprender un oficio y llegó a ser un piloto civil altamente cualificado. Yo estaba presente cuando por fin se cumplió la sentencia. Nike pagó una gran suma de dinero a Stubbs por los derechos para la televisión, y el reo permitió a la compañía poner su logo en la parte delantera de la capucha negra. Aunque sigue siendo discutible que la pena de muerte sirva como disuasorio, los estudios demuestran que la probabilidad de que los criminales reincidan se reduce casi a la mitad después de la ejecución.

Así comió Zaratustra

No hay nada como el descubrimiento de una obra desconocida de un gran pensador para provocar un gran revuelo en la comunidad intelectual y hacer que los académicos vayan de acá para allá a toda prisa, como esas cosas que uno ve cuando mira una gota de agua por el microscopio. En un reciente viaje a Heidelberg para procurarme unas raras cicatrices de duelo del siglo XIX, me topé precisamente con un tesoro de esa clase. ¿Quién habría pensado que existía el libro *Sigue mi dieta* de Friedrich Nietzsche? Si bien su autenticidad podría antojarse un pelín sospechosa a los puntillosos, la mayoría de quienes han estudiado la obra coinciden en que ningún otro pensador occidental ha estado tan cerca de reconciliar a Platón y el dietista Pritikin. He aquí una selección.

La grasa es una sustancia, o la esencia de una sustancia, o un modo de esa esencia. El gran problema se plantea cuando se acumula en la cadera. Entre los presocráticos, fue Zenón quien sostuvo que el peso era una ilusión y que por mucho que comiera un hombre, siempre sería sólo la mitad de gordo que el hombre que nunca hace flexiones. La búsqueda del cuerpo ideal obsesionó a los atenienses, y, en una obra de Esquilo extraviada, Clitemnestra rompe su juramento de no picar nunca entre horas y se arranca los ojos al tomar conciencia de que ya no le cabe el traje de baño.

Fue necesaria la mente de Aristóteles para explicar el problema del peso en términos científicos, y, en un fragmento inicial de la *Ética,* declara que la circunferencia de cualquier hombre es igual al contorno de su cintura multiplicado por el número pi. Esto bastó hasta la Edad Media, cuando santo Tomás de Aquino tradujo al latín unos cuantos menús y se abrieron las primeras marisquerías buenas de verdad. La Iglesia seguía viendo con malos ojos eso de salir a cenar, y el uso de aparcacoches era pecado venial.

Como sabemos, durante siglos Roma consideró el sándwich de pavo abierto –un canapé *avant la lettre*– el colmo de la vida licenciosa; muchos sándwiches fueron obligados a permanecer cerrados y no se abrieron hasta la Reforma. Las pinturas religiosas del siglo XIV representaban al principio escenas de la condenación en las que los obesos vagaban por el Infierno, castigados a una dieta a base de ensaladas y yogur. Especialmente crueles fueron los españoles, y, durante la Inquisición, un hombre podía ser sentenciado a muerte por rellenar de cangrejo un aguacate.

Ningún filósofo se acercó siquiera a resolver el problema de la culpabilidad y el peso hasta que Descartes dividió en dos mente y cuerpo, para que el cuerpo pudiera atracarse mientras la mente pensaba: «¿Y qué más da? Ése no soy yo». La gran duda de la filosofía sigue sin solución: si la vida no tiene sentido, ¿qué hacer con la sopa de letras? Fue Leibniz el primero en decir que la grasa se componía de mónadas; Leibniz hizo dieta y ejercicio, pero nunca se libró de sus mónadas, o al menos no de las que se adherían a sus muslos. Spinoza, por su parte, cenaba frugalmente porque creía que Dios estaba presente en todo, y resulta intimidatorio engullir un bollo si uno piensa que está echando mostaza a la Causa Primera de Todas las Cosas.

¿Existe relación entre una dieta sana y el genio creativo? Basta con fijarse en el compositor Richard Wagner y ver lo que se echa al coleto. Patatas fritas, queso gratinado, nachos: Dios santo, el apetito de ese hombre no tiene límite, y sin embargo su música es sublime. Cosima, su mujer, tampoco se queda corta, pero al menos sale a correr todos los días. En una escena extraída del ciclo del Anillo, Sigfrido decide salir a cenar con las doncellas del Rin y, heroicamente, devora un buey, dos docenas de aves, varios quesos de bola y quince barriles de cerveza. Luego le traen la cuenta, y no le alcanza. Aquí la conclusión es que en la vida tenemos derecho a un acompañamiento de ensalada de col o de patata, y debemos hacer nuestra elección sumidos en un estado de terror, con plena conciencia de que no sólo nuestro tiempo en la Tierra es limitado, sino también de que la mayoría de las cocinas cierran a las diez.

La catástrofe existencial de Schopenhauer no residió tanto en las comidas como en el picoteo. Schopenhauer despotricaba contra el hábito vano de andar picando cacahuetes y patatas fritas mientras se realizaban otras actividades. Una vez iniciado el picoteo, sostenía Schopenhauer, la voluntad no puede resistirse a seguir, y el resultado es un universo lleno de migas por todas partes. No menos desencaminado iba Kant, que propuso que pidiéramos la comida de modo tal que todos pudiéramos pedir lo mismo, y así el mundo funcionaría de una manera moral. Lo que Kant no previó es que si todos pedimos el mismo plato, se entablarán disputas en la cocina para decidir a quién le corresponde la última lubina. «Pide como si estuvieras pidiendo para todos los seres humanos de la Tierra», aconseja Kant; pero ¿y si al vecino no le gusta el guacamole? Al final, claro, no hay alimentos morales, a menos que consideremos como tal el humilde huevo pasado por agua.

En síntesis: aparte de mis Crêpes Más Allá del Bien y del Mal, y del Aliño de Ensalada La Voluntad de Poder, entre las recetas verdaderamente extraordinarias que han cambiado el pensamiento occidental, la empanada de Hegel fue la primera que empleó sobras del día anterior con implicaciones políticas significativas. Las gambas salteadas con verduras de Spinoza pueden satisfacer el paladar tanto de ateos como de agnósticos, mientras que una receta poco conocida de Hobbes para costillas de cerdo adobadas a la barbacoa sigue siendo un enigma intelectual. Lo mejor de mi dieta, la Dieta Nietzsche, es que, en cuanto se pierden unos kilos, ya no se vuelven a recuperar, lo que no ocurre si se sigue el «Tractatus sobre las féculas» de Kant.

DESAYUNO
zumo de naranja
2 lonchas de beicon
profiteroles
almejas al horno
tostadas
infusión

El zumo de naranja es la esencia misma de la naranja puesta de manifiesto, y con esto me refiero a su auténtica naturaleza y a aquello que le confiere su «naranjidad» y le impide presentar un sabor como, por ejemplo, el del salmón al horno o la sémola de maíz. A los devotos, la idea de desayunar cualquier cosa que no sea cereales les provoca ansiedad y temor, pero con la muerte de Dios todo está permitido, y pueden comerse profiteroles y almejas a voluntad, e incluso alitas de pollo.

ALMUERZO
espaguetis con tomate y albahaca
pan blanco
puré de patata
Sacher Torte

Los poderosos siempre almorzarán comidas suculentas, bien condimentadas con salsas pesadas, mientras los débiles picotearán germen de trigo y tofu, convencidos de que su sufrimiento les proporcionará una recompensa en otra vida, una vida donde las costillas de cordero asadas causan furor. Pero si la otra vida es, como yo afirmo, un eterno retorno a esta vida, los sumisos deberán cenar a perpetuidad a base de escasos carbohidratos y pollo hervido sin piel.

CENA
bistec o salchichas
patatas y cebollas doradas a la sartén
langosta thermidor
helado con nata o porción de pastel

Ésta es una cena para el Superhombre. Que los que viven angustiados por los triglicéridos y las grasas saturadas coman para complacer a su pastor o a su nutricionista, pero el Superhombre sabe que la carne veteada, los quesos cremosos, los postres suculentos y, cómo no, muchos fritos es lo que comería Dionisos, si no tuviera siempre resaca y vómitos.

AFORISMOS
Desde el punto de vista epistemológico, hacer dieta es discutible. Si todo lo que existe está sólo en mi cabeza, no sólo puedo pedir cualquier cosa en un restaurante, sino que también puedo exigir que el servicio sea impecable.

El hombre es el único ser capaz de no dejar propina al camarero.

Sorpresa en el juicio de la Disney

El juicio de los accionistas de la Walt Disney Company por la indemnización pagada al presidente saliente Michael Ovitz se ha visto hoy sacudido por la declaración de un testigo imprevisto, presentado por la defensa del gigante del espectáculo.

ABOGADO: ¿Tiene la bondad el testigo de dar su nombre?

TESTIGO: Mickey Mouse.

A: Por favor, diga al tribunal su profesión.

T: Roedor animado.

A: ¿Mantenía usted relaciones cordiales con Michael Eisner?

T: Yo no diría tanto como cordiales. Cenamos juntos unas cuantas veces. En una ocasión, su esposa y él nos invitaron a Minnie y a mí a su casa.

A: ¿Alguna vez habló de trabajo con él?

T: Estuve presente en un desayuno junto con el señor Eisner, Roy Disney, Pluto y Goofy.

A: ¿Dónde tuvo lugar ese desayuno?

T: En el hotel Beverly Hills.

A: ¿Había algún otro testigo?

T: Steven Spielberg se acercó a la mesa a saludar..., ah, y el pato Lucas.

A: ¿Conoce usted al pato Lucas?

T: El pato Lucas y yo nos conocimos en una cena en casa de Sue Menger hace unos meses e hicimos buenas migas.

A: ¿Es verdad que el señor Eisner no aprobaba esta relación suya con el pato Lucas?

T: Fue motivo de discusión entre nosotros varias veces.

A: ¿Y al final qué pasó?

T: Al cabo de un tiempo, cuando Lucas se convirtió a la cienciología, dejé de verlo.

A: Volvamos al desayuno. ¿Recuerda de qué se habló?

T: El señor Eisner anunció que pensaba contratar a Michael Ovitz, el presidente de la CAA.

A: ¿Y eso a usted qué le pareció?

T: Me sorprendió, pero Pluto se tomó la noticia peor que yo. Estaba muy abatido.

A: ¿Por qué abatido?

T: Le preocupaba porque el señor Ovitz tenía una relación más estrecha con Goofy, y Pluto pensó que su tiempo en pantalla se vería reducido.

A: ¿Así que usted era consciente de que había una «relación especial» entre el señor Ovitz y Goofy?

T: Sabía que cuando el señor Ovitz era agente había cortejado a Goofy, y, si no me equivoco, los dos compartieron una casa en Aspen.

A: ¿Llegaron a tener una relación más íntima?

T: El señor Ovitz respondió por Goofy cuando lo detuvieron en Malibú.

A: ¿Es verdad que Goofy tuvo un problema con las drogas?

T: Fue adicto al Percodan.

A: ¿Durante cuánto tiempo?

T: Goofy empezó a tomar analgésicos tras una pifia en unos dibujos animados. Se lanzó desde el Empire State Building con un paraguas y se lesionó la espalda.

A: ¿Y?

T: El señor Ovitz se encargó de ingresar a Goofy en el centro de rehabilitación Betty Ford.

A: ¿Alguna vez le comentó al señor Eisner que usted veía con cierto recelo su proyecto de contratar al señor Ovitz?

T: Minnie y yo hablamos del tema. Sabíamos que no se entenderían.

A: ¿Trató el asunto con alguien más aparte de su mujer?

T: Con Dumbo, con Bambi... La verdad es que no me acuerdo. Ah, sí, con Pepito Grillo, una vez, en casa de Barbra Streisand. Ella organizó una fiesta para Pepito cuando se compró la casa en Trancas.

A: ¿Y llegaron a alguna conclusión?

T: Dumbo opinaba que el pato Donald debía plantear al señor Eisner nuestras inquietudes, porque el señor Eisner siempre parecía escuchar a Donald. Como él mismo dijo, Donald era «uno de los patos más profundos que había conocido». Los dos pasaban mucho tiempo juntos en el estanque de Donald.

A: ¿Y era una relación recíproca?

T: Ah, sí. Donald vivió en casa del señor Eisner cuando se separó de Daisy. Donald tenía una aventura con Petunia, la novia de Porky. En Disney estaba terminantemente prohibido tratar con criaturas de un estudio de la competencia, pero en el caso de Donald, el señor Eisner hizo la vista gorda, cosa que molestó a los accionistas.

A: ¿Ésa es la aventura a la que se refería en su declaración?

T: Sí. A ese respecto me falla un poco la memoria, pero creo que Donald conoció a Petunia en casa de Jeffrey Katzenberg.

A: ¿Estaba usted presente?

T: Sí. Yo, Tom Cruise, Tom Hanks, Jack Nicholson... Creo que también Sean Penn, el Coyote, Correcaminos...

A: ¿Tom y Jerry?

T: No, ese fin de semana estaban en la Costa Este.

A: Seis meses después, el señor Katzenberg y el señor Eisner entablaron un litigio. ¿Recuerda los detalles?

T: El señor Eisner prometió a Bugs Bunny una opción de compra de acciones si se pasaba a la Disney, ésa fue la causa del litigio.

A: ¿Y qué hizo Bugs?

T: No aceptó. Bugs era muy suyo. En ese momento quería tomarse un año sabático para escribir una novela.

A: Y volviendo a la fiesta en casa de Katzenberg, ¿recuerda qué pasó a continuación?

T: Sí. El pato Donald se emborrachó y le tiró los tejos a Nicole Kidman. Fue bochornoso, porque entonces Tom Cruise y ella aún estaban casados. Donald estuvo bastante hostil con Tom, recuerdo. En su opinión, ofrecían a Tom todos los papeles que quería él. Recuerdo que el señor Eisner se llevó a Donald al jardín para tranquilizarlo.

A: ¿Recuerda qué sucedió después?

T: En el jardín de la casa del señor Katzenberg, Donald conoció a Petunia. La encontró guapísima y muy interesante, y me consta que les apasionaban los mismos grupos musicales. Y Donald siempre ha tenido problemas para controlar la ira. Llevaba años tomando Prozac, convencido de que su carrera se había estancado y pronto terminaría en la carta de un restaurante cantonés. Pese a desaconsejárselo el señor Eisner, Donald empezó a verse con la novia de Porky a escondidas.

A: Por lo que usted sabe, ¿cuánto tiempo duró la aventura?

T: Alrededor de un año. Entonces, Petunia dijo a Donald que no podía seguir viéndolo porque se había enamorado perdidamente de Warren Beatty, y él de ella. No sé si recuerda que Warren la llevó al Festival de Cine de Cannes.

A: ¿Es cierto que llegó un momento en que Daisy echó a Donald de su casa?

T: Sí, y el señor Eisner lo acogió y le permitió vivir bajo su techo hasta que Donald y Daisy acordaron por fin que volverían a vivir juntos pero que mantendrían una relación abierta desde el punto de vista sexual.

A: Así pues, que usted recuerde, ¿alguien dijo al señor

Eisner que tal vez no era buena idea contratar al señor Ovitz?

T: La noche de la entrega de los Oscars se lo planteé a Pinocho, pero no quiso meterse.

A: Nos está diciendo, por tanto, que ni Pinocho ni nadie previno al señor Eisner de que el señor Ovitz y él podían ser incompatibles.

T: Que yo sepa, no.

A: Y cuando las cosas se torcieron, salió el tema de la indemnización del señor Ovitz, el pago de ciento cuarenta millones de dólares, ¿no es así? ¿Consideró el señor Ovitz en algún momento que era una cantidad excesiva?

T: Yo sólo sé que Pepito Grillo se posaba a menudo en el hombro del señor Ovitz y le aconsejaba que se dejara guiar siempre por su conciencia.

A: ¿Y?

T: Lo demás ya es historia.

A: Su testigo.

La Ley de Pinchuk

Cuando uno lleva veinte años en la brigada de homicidios del Departamento de Policía de Nueva York, ya lo ha visto todo. Como a aquel broker de Wall Street que cortó en rodajas a su mujercita durante una disputa por el mando a distancia, o a aquel rabino enamorado que decidió acabar con todo salpicándose la barba de ántrax e inhalando. Por eso cuando alguien comunicó el hallazgo de un cadáver en la esquina de Riverside Drive con la Ochenta y Tres, sin orificios de bala ni heridas de arma blanca ni señales de forcejeo, no me precipité a una conclusión propia de cine negro sino que lo atribuí a uno de los mil y un quebrantos que, según el Bardo, heredó nuestra carne, pero no me pregunten cuál de ellos.

Ahora bien, cuando apareció otro fiambre en el SoHo dos días después, también sin el menor indicio de juego sucio, y un tercero en Central Park, saqué la Dexedrina y avisé a la Inmortal Amada de que trabajaría hasta tarde durante un tiempo.

–Es asombroso –dijo mi compañero, Mike Sweeney, mientras extendía la habitual cinta amarilla en el lugar de los hechos. Mike es grande como un oso y fácilmente podría pasar por un oso, y de hecho varios zoos se han puesto en contacto con él para proponerle que sustituya al oso auténtico cuando se pone enfermo–. La prensa sensacionalista dice que es un asesino en serie. Por supuesto, los asesinos en serie se quejan de parcialidad y de que siempre son los primeros a los que acusan cuando mueren tres o más víctimas de la misma manera. Desearían que elevaran el número a seis.

–Seré franco contigo, Mike. Nunca he visto nada parecido a esto, y ya sabes que fui yo quien le echó el guante al Asesino de la Astrología.

El Asesino de la Astrología era un maníaco de cuidado que tenía por costumbre acercarse sigilosamente a las víctimas justo cuando cantaban al estilo tirolés y machacarles la cabeza; fue difícil cogerlo por las muchas simpatías que despertaba.

Le dije a Mike que me llamara si encontraba alguna pista que oliera a sexo y me encaminé al depósito de cadáveres para preguntarle a Sam Doggstatter, nuestro forense, si habían usado veneno. Sam y yo nos conocemos desde que él era un joven forense en sus comienzos y practicaba autopsias en las bodas y las puestas de largo a cambio de unas monedas para tabaco.

–Al principio pensé que podía tratarse de un dardo minúsculo –dijo Sam–. Intenté investigar a todas las personas de Nueva York que poseían una cerbatana, pero resultó una tarea inabarcable. Nadie es consciente de que media ciudad posee uno de esos artefactos jíbaros de casi dos metros y la mayoría con licencia.

Planteé la posibilidad de la seta amanita, que puede matar sin dejar rastro, pero Sam la descartó.

–Sólo había una tienda de productos naturales que vendía setas realmente letales, pero dejó de hacerlo hace años, cuando se descubrió que no eran de cultivo orgánico.

Di las gracias a Sam y telefoneé a Lou Watson, que estaba eufórico porque había conseguido un excelente juego de huellas dactilares en el lugar de los hechos, que de inmediato entregó a otra comisaría a cambio de un juego de huellas de Enrico Caruso de considerable valor. Lou dijo que el laboratorio había encontrado un pelo. También habían encontrado una calva. Por desgracia, el pelo correspondía al de un niño de ocho años y el rastro de la calva llevó hasta nueve hombres sentados en la primera fila de un espectáculo de chicas, con coartadas a toda prueba.

En jefatura, conversé con Ben Rogers, mi mentor y el hombre que resolvió el asesinato del restaurante Yuppie, donde las víctimas fueron tiroteadas y luego ligeramente espolvoreadas con lima y menta fresca. Ben había esperado a que al asesino se le acabara la menta fresca y se viera obligado a utilizar nueces picadas, que eran rastreables por su número de serie.

–Háblame de las víctimas –dije–. ¿Tenían enemigos?

–Claro que tenían enemigos –contestó Ben–, pero todos sus enemigos estaban en Mar-A-Lago, en Palm Beach. Se celebraba una gran convención, asistieron casi todos los enemigos de la Costa Este.

Cuando acababa de despedirme de Ben para ir a por un bocadillo, me llegó la noticia de que había aparecido un fiambre aún caliente en un contenedor de la calle Setenta y Dos Este. En esta ocasión el cadáver impoluto era el de Ricky Weems, un joven actor especializado en rebeldes sensibles, protagonista del serial televisivo *Cuando un lunar se oscurece,* de ambiente médico. Sólo que esta vez una mujer sin techo fue testigo de lo ocurrido. Wanda Bushkin, que en otro tiempo dormía todas las noches en una caja de cartón en el Lower East Side, se había trasladado no hacía mucho a un cartón en Park Avenue. Al principio, le preocupaba no recibir la aprobación de la comunidad de vecinos, pero cuando se demostró que su patrimonio neto excedía los cuatro dólares y treinta centavos, fue aceptada en la caja más deseable.

La noche en cuestión, Bushkin, que no podía conciliar el sueño, alcanzó a ver a un hombre que detuvo su Hummer rojo, lanzó un cuerpo y se alejó a toda velocidad. Al principio, Bushkin no quiso involucrarse porque una vez identificó a un criminal y éste entonces rompió su compromiso nupcial con ella. Esta vez describió al sospechoso a nuestro artista de retratos robot, Howard Inchcape, pero Inchcape, en un rapto temperamental, se negó a hacer el retrato a menos que el sospechoso posase para él.

Yo intentaba hacer entrar en razón a Inchcape cuando de pronto me acordé de B.J. Sgmnd, el vidente. Sgmnd era un pobre austriaco que había perdido todas las vocales de su apellido en un accidente de navegación. En 1993, yo había recurrido a Sgmnd para localizar a un ladrón de gatos, a quien milagrosamente había distinguido entre casi un centenar de animales robados. Ahora lo observé mientras hurgaba entre los enseres personales de la víctima y entraba en una especie de trance. Sus globos oculares se ensancharon y empezó a hablar, pero la voz que salió de él era la de Toshiro Mifune. Dijo que el hombre que yo buscaba consumía Novocaína y trabajaba con tornos en muelas y premolares, y que incluso podría precisar la profesión, pero que para eso necesitaba un tablero Ouija.

Una rápida comprobación informática corroboró que todas las víctimas eran pacientes del mismo odontólogo, y supe que había dado en el blanco. Tras anestesiarme con cuatro dedos de Johnnie Walker, usé una navaja suiza para arrancarme el empaste de plata del séptimo molar inferior, y a la mañana siguiente me senté boquiabierto mientras el doctor Paul W. Pinchuk trabajaba en mi cavidad.

–Enseguida acabaremos –dijo–. Aunque si tiene un poco de tiempo, debería arreglarle la muela contigua. Me sorprende que no le haya molestado. De todos modos, hoy no se pierde nada en la calle. ¿No le parece increíble este tiempo? Abril batió el récord de precipitaciones. Es por eso del calentamiento del planeta. Porque mucha gente usa el aire acondicionado. Yo no lo necesito. Donde vivimos se duerme con la ventana abierta incluso cuando más calor hace. Así yo conservo un buen metabolismo. Y mi esposa también. Nuestros dos cuerpos se adaptan bien. Porque vigilamos mucho lo que comemos. Nada de carne veteada de grasa, no demasiados lácteos, y además yo hago ejercicio. Prefiero la cinta de andar. A Miriam le gusta más el aparato simulador de escaleras. Y nos encanta nadar. Tenemos una casa en Sagaponack. Normalmente, Miriam y yo pasamos los fines de semana en los Hamptons desde principios de abril. Adoramos Sagaponack. Si uno quiere relacionarse, hay gente, pero también puedes ir a tu aire. Yo no soy una persona muy sociable. Me gusta leer, sobre todo, y ella hace papiroflexia. Antes teníamos una casa en Tappan. Hay varias maneras de ir, pero yo suelo tomar por la I-95. Se tarda media horita. Aunque preferimos la playa. Acabamos de cambiar el tejado. No me podía creer el presupuesto. Dios mío, esos contratistas te la cuelan a la que te descuidas. Mire, es como con todo: tanto pagas, tanto recibes. Yo les digo a mis hijos que en esta vida no hay chollos. Nadie regala nada. Tenemos tres niños. Seth hará el bar-mitzvá en junio.

Empecé a sentir que me faltaba el aire mientras el torno de Pinchuk me traspasaba el esmalte y yo intentaba contener un ataque de esa alternancia de apnea e hiperabnea que los facultativos llaman respiración de Cheyne-Stokes. Sentí que mis constantes vitales disminuían y supe que estaba en un grave apuro cuando mi vida empezó a desfilar ante mis ojos y aparecía Dame Edna en el papel de mi padre.

Al cabo de cuatro días desperté en la unidad de cuidados intensivos del Hospital Presbiteriano de Columbia.

–Gracias a Dios estás hecho de hierro –comentó Mike Sweeney, inclinándose sobre mi cama.

–¿Qué ha pasado? –pregunté.

–Has tenido mucha suerte –respondió Mike–. Justo cuando perdiste el conocimiento, una tal Fay Noseworthy irrumpió en la consulta de Pinchuk con una urgencia dental. Fue un LDEE, Limpieza Dental en Estado de Embriaguez. Por lo visto, en su borrachera se le habían desprendido las coronas provisionales y se las tragó. Cuando te caíste al suelo en la consulta de Pinchuk, ella empezó a gritar. Pinchuk, asustado, se dio a la fuga. Por suerte, nuestro equipo del GEO llegó justo a tiempo.

–¿Pinchuk huyó? Si parecía un dentista como cualquier otro... Trabajaba en mis dientes y charlaba.

–Ya, bueno, ahora descansa un poco –dijo Mike, exhibiendo su sonrisa de Mona Lisa, que según Sotheby's era una falsificación–. Te lo explicaré todo cuando te hayas recuperado.

Si se preguntan cómo acaba este pequeño relato de homicidios, permanezcan atentos a las últimas páginas de los diarios en busca de noticias sobre Albany, donde la asamblea legislativa va a estudiar el proyecto de ley del que saldrá la Ley de Pinchuk, que declara delito el hecho de que un dentista ponga en peligro la vida de un paciente mediante su incesante charlatanería o pronunciando una sola palabra que no sea «Abra más» y «Enjuáguese, por favor» sin orden judicial previa.

MAXI
TUSQUETS
EDITORES

Últimos títulos

LA DESPEDIDA
Milan Kundera

AFTER DARK
Haruki Murakami

EL CAMINO BLANCO
John Connolly

SÓLO UN MUERTO MÁS
Ramiro Pinilla

CUENTOS ERÓTICOS DE VERANO
VV.AA.

EL CHINO
Henning Mankell

TE LLAMARÉ VIERNES
Almudena Grandes

MUNDO DEL FIN DEL MUNDO
Luis Sepúlveda

ANTES QUE ANOCHEZCA
Reinaldo Arenas

EL AMANTE
Marguerite Duras

EL HIJO DEL VIENTO
Henning Mankell

EL ÁNGEL NEGRO
John Connolly

MUERTE EN ESTAMBUL
Petros Márkaris

EL OJO DEL LEOPARDO
Henning Mankell

EL HOMBRE QUE AMABA A LOS PERROS
Leonardo Padura

PATAGONIA EXPRESS
Luis Sepúlveda

EL FIN DEL MUNDO
Y UN DESPIADADO PAÍS DE LAS MARAVILLAS
Haruki Murakami

RETRATO DE UN HOMBRE INMADURO
Luis Landero

HISTORIA DE O
Pauline Réage

EL HOMBRE INQUIETO
Henning Mankell

VIENTOS DE CUARESMA
Leonardo Padura

LA ÚLTIMA NOCHE EN TWISTED RIVER
John Irving

LOS ATORMENTADOS
John Connolly